D1544781

Let's Read Greek

Let's
Read
Greek

A Graded Reader

Clarence B. Hale

MOODY PRESS • CHICAGO

LET'S READ GREEK

LIBRARY OF CONGRESS CATALOG CARD NUMBER: 68-18887

FIRST PRINTING

PREFACE

It is an exciting experience to be able to read the New Testament in its Greek original or to read the great Greek classics in their native tongue. But the path to this achievement has been unnecessarily long and tedious. Often my students of Plato have not progressed in second year beyond the stage of puzzle solving. The amount of new vocabulary has been so large that they have never gained the skill of following a sentence through to the final punctuation mark and at that point of knowing what Plato has said.

In sharp contrast my French students usually have been able in second year to read the French assigned to them without puzzling over the grammar and vocabulary. This striking difference in results is due in large part to the difference in instructional materials used in the two languages. In the study of modern languages the graded reader has become a widely accepted instructional device. The gradual acquisition of vocabulary in contexts where most of the items are already familiar has proved to be very practical. D. C. Heath, for example, has published readers of this kind for French, German, Italian, Russian and Spanish. The instructor who uses each of these texts may reasonably hope that his students will progress with relative ease from the reading of elementary materials to the enjoyment of the best literature of that language.

It occurred to me that the development of a graded reader for ancient Greek could very well revolutionize student success in mastering that language. The experimental text I launched was employed by several teachers who reported that their classes all moved ahead with rapid comprehension. *Let's Read Greek* is a result of this experimentation. Applying the principle of going from the known to the new, modern language graded readers incorporate in their early selections numerous cognates, words with the same or similar meanings and spellings in English and in the foreign language. Following a parallel but somewhat different approach, I have chosen to emphasize the vocabulary of the Greek New Testament. This is the part of ancient Greek literature which attracts most of our students initially. Wider interests can and do develop later.

i

The vocabulary of this reader, accordingly, like that of my beginning book, *Let's Study Greek*, seeks to take full advantage of the early interests of those who will be using it. The slightly more than five hundred words introduced in the first-year book are assumed to be known to the student who begins *Let's Read Greek*. New words are introduced in the various sections as follows:

	Total new words	New words not in New Testament
Martyrdom of Andrew	65	5
Acts of Thomas	147	9
Testament of Abraham	159	8
Letters of Pilate and Herod	26	3
	397	25

This total means an average of less than five new words a page. Of the 397 new words only 25 are not listed in Arndt and Gingrich, *A Greek-English Lexicon of the New Testament and Other Early Christian Literature*, published by the University of Chicago Press, 1957, if I have counted correctly. *Let's Study Greek* and *Let's Read Greek* together present about 870 of the some 5,600 words used in the Greek New Testament. Most of these 870 occur frequently; therefore it is important to know them.

Every new word is used at least three times, usually in the same selection in which it first appears. The first three appearances are designated by three kinds of underlining: first ἀποστόλου (p. 2); second ἀποστόλων (p. 2); third ἀπόστολοι (p. 3). At the bottom of each page of Greek text the new vocabulary is classified in three lists according as the words are making their first, their second or their third appearance. These three appearances in the visible vocabulary should make an impression on the student's memory. In case, however, a new word slips from his memory, he may consult the listing at the end of the book where all the words used in this reader are arranged alphabetically. In the verbs I have given only the principal parts in use in the literature surveyed by Arndt and Gingrich.

The stories as well as the vocabulary have been chosen in view of the initial interests of our students. The Apocrypha and Pseudepigrapha of the Old and New Testaments speak of persons and events of the Bible, but the incidents recorded differ from the biblical narrative and consequently require that the student get the meaning from the Greek rather than from his memory.

Although each tale has undergone simplification, Jewish and Christian popular thought patterns emerge. Their occasional deviations from orthodoxy contribute to our understanding of the intertestamental period and early church history.

Facing the first page of each selection stands a summary of the story to be read.

Reference to the following works will be of value in appreciating the extracanonical literature from which these selections have been taken:

Charles, R. H. (ed.). *The Apocrypha and Pseudepigrapha of the Old Testament in English.* Oxford: Clarendon Press, 1913.

Hennecke, Edgar. *New Testament Apocrypha.* Wilhelm Schneemelcher (ed.). Philadelphia: Westminster Press (Eng. trans.), Vol. I, 1963; Vol. II, 1965.

My selections are drawn from the following sources:

1. "Martyria Andreae," pp. 46-57 in *Acta Apostolorum Apocrypha post Constantinum Tischendorf denuo ediderunt Ricardus Adelbertus Lipsius et Maximillianus Bonnet Partis alterius Volumen prius.* Leipzig: 1898.

2. "Acta Thomae," pp. 28-44 in *Apocrypha Anecdota II*, ed. Montague Rhodes James. Vol. V, No. 1, of *Texts and Studies, Contributions to Biblical and Patristic Literature*, ed. J. Armitage Robinson. Cambridge University Press, 1897. Used by permission of the Syndics of Cambridge University Press.

3. "The Testament of Abraham," pp. 77-104, Vol. II, No. 2, of *Texts and Studies*, Cambridge University Press, 1892. Used by permission of the Syndics of Cambridge University Press.

4. "Letters of Pilate and Herod," pp. 66-70, Vol. V, No. 1, of *Texts and Studies*, Cambridge University Press, 1897. Used by permission of the Syndics of Cambridge University Press.

The experimental form of this reader which preceded the present development was made possible by the generosity of the Wheaton College Alumni Association in awarding me their research grant for 1959/1960. I am deeply grateful to the Board of Directors of the

Association and to the Administration of Wheaton College for enabling me to have the time necessary to turn a long-cherished idea into usable teaching materials. My colleagues who used the mimeographed experimental edition have made helpful suggestions that have been incorporated in the present reader. Those who have occasion to use this book are invited to send me their observations of errors to be corrected or of possible improvements in a teaching tool of this kind.

CLARENCE B. HALE

THE DEATH OF THE HOLY MARTYR
ANDREW THE APOSTLE

In obedience to the command of the Lord, Andrew goes forth to preach repentance and forgiveness of sins. Arriving in Patrae of Achaia, he performs miracles but encounters the hostility of the proconsul, Lesbios. Warned by an angel and stricken by a high fever, however, the Roman official summons Andrew, is healed by the apostle, and becomes a Christian. When the people of Patrae destroy the idol temples, Lesbios rejoices with them.

Some time later a successor to Lesbios is appointed by Caesar. In a vision Andrew is told to prepare to die at the hands of the new proconsul. Andrew gives himself up to the soldiers sent by Aegeates, the new official. Brought before the proconsul, the apostle explains his mission, but Aegeates is not satisfied and orders the crucifixion of his prisoner. Hearing that Andrew is still alive after hanging three days and three nights on the cross, Aegeates comes to look at the martyr, and is urged by the saint to free himself from servitude to the devil. The body of the martyr is buried by the wife and the brother of Aegeates. The proconsul himself commits suicide soon afterward.

This selection comes from the Apocryphal literature of the New Testament and was probably composed originally during the second century of the Christian era.

Θάνατος τοῦ ἁγίου <u>μάρτυρος</u> <u>Ἀνδρέου</u> <u>ἀποστόλου</u>.

1. Ἐπεὶ ὁ σωτὴρ ἡμῶν Ἰησοῦς Χριστὸς εἰς τὸν
οὐρανὸν ἐληλύθει, <u>ἀναστὰς</u> ἐν μέσῳ τῶν μακαρίων
<u>ἀποστόλων</u> ὁ μακάριος Πέτρος εἶπεν· "Ἄνδρες οἱ
κληθέντες καὶ <u>ἐκλεχθέντες</u> καὶ διδαχθέντες ὑπὸ τοῦ
5   λόγου τοῦ θεοῦ καὶ οἱ ποιήσαντες <u>δυνάμεις</u> <u>δι</u>' αὐ-
τοῦ, μνημονεύετε τῆς ἐντολῆς τοῦ ἡμετέρου σωτῆρος.
ἐνετείλατο γὰρ ἡμῖν λαβοῦσιν τὸ πνεῦμα τὸ ἅγιον
<u>διασπαρῆναι</u> εἰς ὅλην τὴν γῆν καὶ <u>κηρύσσειν</u> <u>μετά</u>-
<u>νοιαν</u> καὶ <u>ἄφεσιν</u> ἁμαρτιῶν τοῖς πιστεύσουσιν εἰς

---

(1) Ἀνδρέας, -ου, ὁ: Andrew
ἀνίστημι, ἀναστήσω, ἀνέστησα and ἀνέστην,
      ---, ---, ---: stand up, rise; raise,
      raise up
ἀπόστολος, -ου, ὁ: apostle
ἄφεσις, -εως, ἡ: release, pardon, forgiveness
δι': διά
διασπείρω, ---, διέσπειρα, ---, ---, διεσπά-
      ρην: disperse, scatter abroad, distribute
δύναμις, -εως, ἡ: power, (pl.) miracles
ἐκλέγομαι, ---, ἐξελεξάμην, ---, ἐκλέλεγμαι,
      ἐξελέχθην: choose, select
κηρύσσω, κηρύξω, ἐκήρυξα, ---, ---, ἐκηρύ-
      χθην: proclaim, preach
μάρτυς, μάρτυρος, ὁ: witness, martyr
μετάνοια, -ας, ἡ: change of mind, repentance

(2) ἀπόστολος (1)

τὸ ὄνομα τὸ ἅγιον αὐτοῦ. καὶ νῦν πέπτωκεν ἐπὶ ἕνα

ἕκαστον ἡμῶν ἡ δύναμις ἐξ οὐρανοῦ, καὶ εἰλήφαμεν

ἡμεῖς τὴν δωρεὰν τοῦ ἁγίου πνεύματος, καὶ ἡ χάρις

τοῦ ἡμετέρου δεσπότου καὶ θεοῦ καὶ σωτῆρος ἡμῶν

5   'Ιησοῦ Χριστοῦ ἐφάνη ἡμῖν. τί οὖν οὐκ ἐξερχόμεθα

ἐπὶ τὸ ἔργον εἰς ὃ ἐξελέξατο ἡμᾶς;

    2. Καὶ ἀναστάντες οἱ ἄλλοι ἀπόστολοι ἀπῆλθον ὡς

μάρτυρες τοῖς ἔθνεσιν καὶ ταῖς πόλεσιν τῆς γῆς.

καὶ 'Ανδρέας ἀπῆλθεν εἰς τὴν 'Αχαΐαν καὶ τὰς

10 πόλεις αὐτῆς.

---

(1) 'Αχαΐα, -ας, ἡ: Achaia
    δεσπότης, -ου, ὁ: lord, master
    πόλις, -εως, ἡ: city, state
    χάρις, χάριτος, ἡ: favor, grace
    ὡς: as, like; when, while, as long as, as
       soon as; in order that, that; about;
       how!;(as ... as possible)

(2) 'Ανδρέας, -ου, ὁ: Andrew
    ἀνίστημι, ἀναστήσω, ἀνέστησα and ἀνέστην,
      ---, ---, ---: stand up; raise, raise
      up
    δύναμις, -εως, ἡ: power, (pl.) miracles
    ἐκλέγομαι, ---, ἐξελεξάμην, ---, ἐκλέλεγμαι,
      ἐξελέχθην: choose, select
    μάρτυς, μάρτυρος, ὁ: witness, martyr
    πόλις (1)

(3) ἀπόστολος, -ου, ὁ: apostle

3. Διασπαρέντων οὖν πάντων τῶν ἄλλων ἀποστόλων εἰς ὅλην τὴν γῆν, εἰσῆλθεν Ἀνδρέας εἰς Πάτρας τῆς Ἀχαΐας. καὶ εἰσελθόντος αὐτοῦ εἰς τὴν πόλιν ἠκούσθη ὅτι ἄνθρωπος ξένος εἰσῆλθεν εἰς τὴν πόλιν
5 φέρων μόνον ὄνομα ἀνθρώπου τινὸς Ἰησοῦ, δι' οὗ δυνάμεις ποιεῖ. ἀκούσας δὲ ὁ ἀνθύπατος Λέσβιος φόβον ἔσχεν καὶ εἶπεν· Μάγος ἐστίν. μὴ ἀκούσητε αὐτοῦ. ζητεῖτε δὲ μᾶλλον παρὰ τῶν θεῶν δωρεάς.

---

(1) ἀνθύπατος, -ου, ὁ: proconsul
εἰσέρχομαι, εἰσελεύσομαι, εἰσῆλθον, εἰσελή-
λυθα, ---, ---: enter, come into, go into
ζητέω, ζητήσω, ἐζήτησα, ---, ---, ἐζητήθην:
seek, look for, strive after, desire
Λέσβιος, -ου, ὁ: Lesbios (-NT= not in New Test.)
μάγος, -ου, ὁ: magician
μᾶλλον: more, rather, to a greater degree
ξένος, -η, -ον: (adj.) strange to, foreign to,
unacquainted with, (subst.) stranger,
foreigner
παρά: (with abl.) from, by; (with loc.) near,
beside; (with acc.) along, to
Πάτραι, -ῶν, αἱ: Patrae (-NT)

(2) Ἀχαΐα, -ας, ἡ: Achaia
δι': διά
διασπείρω, ---, διέσπειρα, ---, ---, διεσπά-
ρην: disperse, scatter abroad, distribute
εἰσέρχομαι (1)

(3) Ἀνδρέας, -ου, ὁ: Andrew
δύναμις, -εως, ἡ: power, (pl.) miracles
εἰσέρχομαι (2)
πόλις, -εως, ἡ: city, state

4

καὶ <u>Λέσβιος ἐζήτει</u> ᾿Ανδρέαν ἀποκτεῖναι.

4. Νυκτὸς δὲ ἄγγελος κυρίου τῷ <u>ἀνθυπάτῳ</u> λέγει·
Τί <u>ἀδικηθεὶς παρὰ</u> τοῦ <u>ξένου</u> θέλεις αὐτὸν ἀποκτεῖ-
ναι; τί οὐ πείθῃ τῷ θεῷ ὃν ὁ ξένος <u>κηρύσσει</u>; καὶ

5   νῦν ἰδοὺ ἡ χεὶρ τοῦ κυρίου αὐτοῦ ἐπὶ σὲ ἔσται <u>ἕως</u>

5:3 Τί ἀδικηθεὶς παρὰ τοῦ ξένου θέλεις αὐτὸν
ἀποκτεῖναι; (literally) In what respect having
been wronged by the stranger do you desire to kill
him? (more freely) In what respect have you been
wronged by the stranger /so that/ you desire to
kill him? (or) How has the stranger wronged you
/to make/ you desire to kill him?

---

(1) ἀδικέω, ἀδικήσω, ἠδίκησα, ἠδίκηκα, ---,
        ἠδικήθην: do wrong, injure, harm
    ἕως οὐ: until

(2) ἀνθύπατος, -ου, ὁ: proconsul
    ζητέω, ζητήσω, ἐζήτησα, ---, ---, ἐζητήθην:
        seek, look for, strive after, desire
    κηρύσσω, κηρύξω, ἐκήρυξα, ---, ---, ἐκηρύ-
        χθην: announce, proclaim, preach
    Λέσβιος, -ίου, ὁ: Lesbios (-NT)
    ξένος, -η, -ον: (adj.) strange to, foreign
        to, unacquainted with, (subst.) stranger,
        foreigner
    παρά: (with abl.) from, by; (with loc.) near,
        beside; (with acc.) along, to

(3) ξένος (2)

οὗ ἐπίγνως τὴν ἀλήθειαν. τότε ἔλαβεν αὐτὸν πυρε-
τὸς ἰσχυρός. καὶ τοῦ ἀγγέλου πορευθέντος ἀπὸ Λε-
σβίου ὁ ἀνθύπατος ἐκάλεσε τοὺς στρατιώτας αὐτοῦ
καὶ εἶπεν αὐτοῖς· Ἐλεήσατέ με, στρατιῶται, σπεύ-
5 σατε, ζητήσατε ἐν ὅλῃ τῇ πόλει Πάτραις ξένον ὀνό-
ματι Ἀνδρέαν ὃς κηρύσσει ξένον θεόν. διὰ γὰρ
τούτου τοῦ ξένου δυνήσομαι ἐπιγνῶναι τὴν ἀλήθειαν.
Καὶ σπεύσαντες οἱ στρατιῶται ἐζήτησαν τὸν μακάριον
Ἀνδρέαν τὸν ἀπόστολον, καὶ εὑρόντες αὐτὸν ἤγαγον
10 πρὸς τὸν ἀνθύπατον. ὁ δὲ Λέσβιος θεασάμενος αὐτὸν

---

(1) ἐλεέω, ἐλεήσω, ἠλέησα, ---, ---, ἠλεήθην:
      pity, have mercy on
    σπεύδω, ---, ἔσπευσα, ---, ---, ---: hasten,
      hurry, be eager
    στρατιώτης, -ου, ὁ: soldier

(2) Πάτραι, -ῶν, αἱ: Patrae (-NT)
    σπεύδω (1)
    στρατιώτης (1)

(3) ἀνθύπατος, -ου, ὁ: proconsul
    ζητέω, ζητήσω, ἐζήτησα, ---, ---, ἐζητήθην:
      seek, look for, strive after, desire
    κηρύσσω, κηρύξω, ἐκήρυξα, ---, ---, ἐκηρύ-
      χθην: announce, proclaim, preach
    Λέσβιος, -ίου, ὁ: Lesbios (-NT)
    στρατιώτης (2)

ἔπεσε πρὸς τοὺς <u>πόδας</u> αὐτοῦ καὶ <u>δεόμενος</u> αὐτοῦ

εἶπεν· "Ανθρωπε τοῦ θεοῦ, <u>ἐλέησον</u> ἐμὲ ἄνθρωπον

πεπλανημένον, ἄνθρωπον τῆς ἀληθείας ξένον, ἄνθρω-

πον ψευδομένους θεοὺς εἰδότα καὶ τὸν μόνον ἀληθι-

5 νὸν θεὸν μὴ εἰδότα. <u>δέομαι</u> τοῦ ἐν σοὶ θεοῦ, ἐλέ-

ησον καὶ δός μοι τὴν <u>γνῶσιν σωτηρίας.</u>

5. Καὶ ὁ μακάριος ἀπόστολος ἀκούσας τῶν λόγων

Λεσβίου, ἄρας τοὺς ὀφθαλμοὺς αὐτοῦ εἰς τὸν οὐρα-

νόν, <u>ἐπιθεὶς</u> τὴν χεῖρα τὴν <u>δεξιὰν</u> τῷ σώματι τοῦ

7:3 ἄνθρωπον τῆς ἀληθείας ξένον: a man unacquaint-
ed with the truth (or) a man /who is7 a stranger to
the truth. (Notice that the translations do not
parallel the Greek genitive.)

---

(1) γνῶσις, -εως, ἡ: knowledge
    δεξιός, -ά, -όν: (adj.) right (not left);
        (subst. in fem.) right hand
    δέομαι, ---, ---, ---, ---, ἐδεήθην: ask, beg,
        pray, be in need
    ἐπιτίθημι, ἐπιθήσω, ἐπέθηκα, ---, ---, ---:
        put upon, inflict, attack
    πούς, ποδός, ὁ: foot
    σωτηρία, -ας, ἡ: salvation, deliverance

(2) δέομαι (1)
    ἐλεέω, ἐλεήσω, ἠλέησα, ---, ---, ἠλεήθην:
        pity, have mercy on

(3) ἐλεέω (2)

ἀνθυπάτου ἔφη· Ὁ ἐμὸς θεὸς Ἰησοῦς Χριστός, ὁ
μὴ ἐπιγνωσθεὶς ὑπὸ τοῦ κόσμου, νῦν δὲ δι' ἡμῶν
φανερούμενος· ὁ υἱὸς τοῦ θεοῦ, ὁ λόγος, ὁ πρὸ
πάντων καὶ ἐν πᾶσιν ὤν· ἄψαι τὸν σὸν δοῦλον καὶ

5 θεράπευσον αὐτόν, ἵνα καὶ αὐτὸς ᾖ τῶν σῶν ἀνθρώ-
πων, κηρύσσων τὴν σὴν ἰσχυρὰν δύναμιν. Καὶ τότε
ἀψάμενος τῆς δεξιᾶς χειρὸς τοῦ ἀνθυπάτου Ἀνδρέας
ἀνέστησεν αὐτόν. ἀναστὰς δὲ ὡμολόγησε τὰς ἀμαρ-
τίας τῷ κυρίῳ καὶ εἶπεν· Ἀληθείᾳ οὗτος ὁ θεός,

10 ἄνθρωπε ξένε, μὴ δεόμενος ὡρῶν μήτε ἡμερῶν μήτε
ἐτῶν μήτε ἄλλων χρόνων ἵνα τὰς δυνάμεις αὐτοῦ
ποιήσῃ. διὰ τοῦτο πιστεύω σοι ἐγὼ μετὰ παντὸς

---

(1) μήτε: and not, also not, not even
    σός, σή, σόν: thy, your (sing.)
    φημί, ---, ἔφην, ---, ---, ---: say, assent

(2) δεξιός, -ά, -όν: (adj.) right (not left);
        (subst. in fem.) right hand
    μήτε (1)
    σός (1)

(3) ἀνίστημι, ἀναστήσω, ἀνέστησα and ἀνέστην,
        ---, ---, ---: stand up; raise, raise
        up
    δέομαι, ---, ---, ---, ---, ἐδεήθην: ask,
        beg, pray; be in need of
    δι': διά
    μήτε (2)
    σός (2)

8

τοῦ ἐμοῦ οἴκου. πιστεύω εἰς τὸν ἀποστείλαντά σε
πρὸς ἡμᾶς. Καὶ ὁ 'Ανδρέας πρὸς αὐτὸν ἔφη· 'Επεὶ
πεπίστευκας εἰς τὸν ἀποστείλαντά με, τῇ γνώσει
πληρωθήσῃ σύ.

5   6.   Πᾶσα δὲ ἡ πόλις ἔχαιρεν ἐπὶ τῇ σωτηρίᾳ τοῦ
ἀνθυπάτου, καὶ ὄχλοι συνῆγον τοὺς ἀσθενοῦντας πρὸς
'Ανδρέαν. οὗτος δὲ προσευξάμενος καὶ ἐπιθεὶς τὰς
χεῖρας αὐτοῖς ἐθεράπευσε πάντας τοὺς ἀσθενοῦντας
τούτους. καὶ ἡ πόλις ἐθαύμασε, καὶ οἱ ὄχλοι ἐβό-
10   ων· Μεγάλη ἡ δύναμις τοῦ ξένου θεοῦ. μέγας ὁ
θεὸς ὁ κηρυσσόμενος παρὰ τοῦ ξένου 'Ανδρέου. σή-
μερον ἀπολλύωμεν τοὺς ναοὺς καὶ τὰ εἴδωλα ἡμῶν.

---

(1) ἀπόλλυμι, ἀπολέσω and ἀπολῶ, ἀπώλεσα and ἀπω-
     λόμην, ἀπολώλεκα and ἀπόλωλα, ---, ---:
     destroy, lose; (mid.) perish, die, be
     lost
     ἀσθενέω, ---, ἠσθένησα, ---, ---, ---: be
     weak, sick
     βοάω, βοήσω, ἐβόησα, ---, ---, ---: shout,
     cry out
     ναός, -οῦ, ὁ: temple, sanctuary

(2) ἀσθενέω (1)
     γνῶσις, -εως, ἡ: knowledge
     ἐπιτίθημι, ἐπιθήσω, ἐπέθηκα, ---, ---, ---:
     put upon, inflict, attack
     σωτηρία, -ας, ἡ: salvation, deliverance
     φημί, ---, ἔφην, ---, ---, ---: say, assent

(3) παρά: (with abl.) from, by; (with loc.) near,
     beside; (with acc.) along, to

9

μᾶλλον δὲ ἐπιγνωσόμεθα τὸν θεὸν τὸν ἀληθινὸν τὸν
ὑπὸ Ἀνδρέου κηρυσσόμενον. Καὶ τῆς αὐτῆς ὥρας
δραμόντες πάντες ἐπὶ τοὺς τῶν εἰδώλων ναοὺς ἦψαν
καὶ σπεύσαντες πάντα ἀπώλεσαν βοῶντες· Μόνος ὁ
5   Ἀνδρέου θεὸς λατρευέσθω. Λέσβιος δὲ ἔχαιρε τοῖς
ἔργοις τοῦ λαοῦ τῶν Πατρῶν.
7.   Ὡς δὲ ὁ λόγος τῆς χάριτος καὶ τῆς μετανοίας
καὶ τῆς ἀφέσεως ἁμαρτιῶν καὶ τῆς σωτηρίας ἐν πάσῃ
τῇ Ἀχαΐᾳ χρόνον μακρὸν ἐκηρύσσετο, ὁ Καῖσαρ ἄλλον
10   ἀνθύπατον πέμψας ἀπὸ Λεσβίου τὴν ἀρχὴν ἦρεν. τότε

---

(1) Καῖσαρ, Καίσαρος, ὁ: Caesar

(2) ἀπόλλυμι, ἀπολέσω and ἀπολῶ, ἀπώλεσα and ἀπω-
       λόμην, ἀπολώλεκα and ἀπόλωλα, ---, ---:
       destroy, lose; (mid.) perish, die, be
       lost
     ἄφεσις, -εως, ἡ: release, pardon, forgiveness
     βοάω, βοήσω, ἐβόησα, ---, ---, ---: shout,
       cry out
     μᾶλλον: more, rather, to a greater degree
     μετάνοια, -ας, ἡ: change of mind, repentance
     ναός, -οῦ, ὁ: temple, sanctuary
     χάρις, χάριτος, ἡ: favor, grace
     ὡς: as, like, when, while, as long as, as
       soon as; in order that, that; about; how!;
       as ... as possible

(3) Ἀχαΐα, -ας, ἡ: Achaia
     Πάτραι, -ῶν, αἱ: Patrae (-NT)
     σπεύδω, ---, ἔσπευσα, ---, ---, ---: hasten,
       hurry, be eager
     σωτηρία, -ας, ἡ: salvation, deliverance

10

ὁ Λέσβιος μετὰ χαρᾶς ἐλθὼν πρὸς τὸν μακάριον Ἀν-
δρέαν ἔφη· Νῦν μᾶλλον πιστεύσω τῷ κυρίῳ, ἀποθέ-
μενος τὴν δόξαν τοῦ κόσμου. δέξαι με οὖν ὡς πι-
στὸν μάρτυρα πᾶσιν ἀνθρώποις περὶ τῆς γνώσεως τοῦ

5   σωτῆρος. Ὁ Λέσβιος οὖν σὺν τῷ Ἀνδρέᾳ περιεπάτει.
8. Καὶ ὅραμα τότε εἶδεν ὁ ἀπόστολος Ἀνδρέας.
ἐν τούτῳ τῷ ὁράματι ὁ σωτὴρ Χριστὸς ἔστηκε πρὸ αὐ-
τοῦ καὶ λέγει αὐτῷ· Ἀνδρέα, ἐπίθες τὸ πνεῦμα ἐπὶ
τὸν Λέσβιον καὶ δὸς αὐτῷ τῆς χάριτός σου· καὶ

11:9 τῆς χάριτός σου: ⟨some⟩ of your grace, ⟨a
portion⟩ of your grace. (This is a partitive
genitive.)

---

(1) ἀποτίθημι, ---, ἀπέθηκα, ---, ---, ἀπετέθην:
        put off, lay off, lay aside, put away
     δόξα, -ης, ἡ: splendor, magnificence, glory,
        opinion
     ὅραμα, -ατος, τό: vision

(2) ὅραμα (1)

(3) γνῶσις, -εως, ἡ: knowledge
     ἐπιτίθημι, ἐπιθήσω, ἐπέθηκα, ---, ---, ---:
        put upon, inflict, attack
     μᾶλλον: more, rather, to a greater degree
     μάρτυς, μάρτυρος, ὁ: witness, martyr
     φημί, ---, ἔφην, ---, ---, ---: say, assent
     χάρις, χάριτος, ἡ: favor, grace
     ὡς: as, like, when, while, as long as, as soon
        as; in order that, that; about; how!;
        as ... as possible

ἄρας τὸν σταυρόν σου ἀκολούθει μοι. ὁ γὰρ ἐκβα-
λών σε ἐκ τοῦ κόσμου τούτου σπεύδει ἐπὶ Πάτρας.
'Ιδὼν δὲ τὸ ὅραμα ὁ ἀπόστολος τοῖς σὺν αὐτῷ ἐγνώ-
ρισεν τὸν λόγον τοῦ σωτῆρος. καὶ ἰδού τις σπεύσας
5 τῷ ἀποστόλῳ λέγει· 'Ο Αἰγεάτης ὁ ἀποσταλεὶς ὡς ὁ
καινὸς ἀνθύπατος παρὰ τοῦ Καίσαρος ἠνέχθη εἰς τὴν
'Αχαΐαν ὑπό τινων δούλων τοῦ διαβόλου κακῶν καὶ
ἐχθρῶν ἀνθρώπων. ἐγνώρισαν δὲ οὗτοι Αἰγεάτῃ ὅτι
τοὺς θεοὺς τῆς πόλεως καὶ τοὺς ναοὺς αὐτῶν ἀπώλε-

---

(1) Αἰγεάτης, -ου, ὁ: Aegeates (-NT)
    ἀκολουθέω, ἀκολουθήσω, ἠκολούθησα, ἠκολούθη-
        κα, ---, ---: go with, follow, obey
    γνωρίζω, γνωρίσω, ἐγνώρισα, ---, ---, ἐγνω-
        ρίσθην: make known, know
    ἐκβάλλω, ἐκβαλῶ, ἐξέβαλον, ἐκβέβληκα, ---,
        ἐξεβλήθην: drive out, send out, throw
        out, remove
    σταυρός, -οῦ, ὁ: cross

(2) Αἰγεάτης (1)
    γνωρίζω (1)
    Καῖσαρ, Καίσαρος, ὁ: Caesar

(3) ἀπόλλυμι, ἀπολέσω and ἀπολῶ, ἀπώλεσα and
        ἀπωλόμην, ἀπολώλεκα and ἀπόλωλα, ---,
        ---: destroy, lose; (mid.) perish, die,
        be lost
    ναός, -οῦ, ὁ: temple, sanctuary
    ὅραμα, -ατος, τό: vision

σας καὶ ἔπεισας τὴν πόλιν λατρεύειν ἑνί τινι
ἑσταυρωμένῳ. καὶ ὁ καινὸς δεσπότης Αἰγεάτης ἀπέ-
στειλεν στρατιώτας συλλαβεῖν σε. Καὶ ὁ μακάριος
Ἀνδρέας προσευχόμενος εἶπεν· Ἀληθὲς θεὲ ὁ γνω-
5 ρίσας ἡμῖν τὰ ἑσόμενα, ὁ ἑμὸς δεσπότης δός μοι
μετὰ παρρησίας πρὸ Αἰγεάτου στῆναι.

9. Καὶ ὡς προσηύχετο Ἀνδρέας, οἱ στρατιῶται οἱ
ἀπεσταλμένοι παρὰ τοῦ Αἰγεάτου βοῶντες πρὸ τῶν θυ-
ρῶν ἑζήτουν τὸν μακάριον ἀπόστολον. συλλαβόντες
10 οὖν Ἀντιφάνην, μεθ' οὗ ἔμενεν Ἀνδρέας, ἤγαγον

13:4 Ἀληθὲς: voc. masc. sing. of ἀληθής in
agreement with θεέ.

---

(1) Ἀντιφάνης, -ου, ὁ: Antiphanes (-NT)
    σταυρόω, σταυρώσω, ἑσταύρωσα, ---, ἑσταύρωμαι,
        ἑσταυρώθην: nail to a cross, crucify
    συλλαμβάνω, συλλήμψομαι, συνέλαβον, συνείληφα,
        ---, συνελήμφθην: seize, arrest, help,
        assist

(2) δεσπότης, -ου, ὁ: lord, master
    συλλαμβάνω (1)

(3) Αἰγεάτης, -ου, ὁ: Aegeates (-NT)
    βοάω, βοήσω, ἑβόησα, ---, ---, ---: shout,
        cry out
    γνωρίζω, γνωρίσω, ἑγνώρισα, ---, ---, ἑγνω-
        ρίσθην: make known, know
    δεσπότης (2)

13

ἐκ τοῦ οἴκου λέγοντες· Ἀντιφάνα, ξένον τινὰ μάγον
ἤγαγες εἰς τὸν οἶκόν σου καὶ ἔδωκας τούτῳ τῷ μάγῳ
σῖτον, καὶ ἀπώλεσας τοὺς ναοὺς καὶ τοὺς θεοὺς τῆς
πόλεως. φέρε οὖν ἐκ τοῦ οἴκου τὸν δοῦλον τοῦ ἐσταυ-
5 ρωμένου οὗ τὸ ὄνομα Ἀνδρέας. ὁ γὰρ Αἰγεάτης ὁ μέ-
γας ἀνθύπατος θέλει αὐτὸν συλλαβεῖν. Τότε δὲ σπεύ-
σασα πᾶσα ἡ πόλις συνήχθη πρὸ τῶν θυρῶν Ἀντιφάνου
βοῶσα καὶ λέγουσα· Καῖσαρ ἀπέστειλεν τὸν ἀνθύπατον
εἰς τὴνκόλασιν οὐ τῶν καλῶν ἀλλὰ τῶν κακῶν. τί οὖν
10 τὸν δοῦλον τοῦ θεοῦ τὸν μὴ ἀδικήσαντα ζητεῖ ὁ Αἰγε-
άτης; μαθεῖν θέλομεν. ἡμῶν γὰρ τοὺς ἀσθενοῦντας
Ἀνδρέας ἐθεράπευσεν, καὶ ἐγένετο ἡμῖν ὁ ἀπόστολος

---

(2) ἀδικέω, ἀδικήσω, ἠδίκησα, ἠδίκηκα, ---,
        ἠδικήθην: do wrong, injure, harm
     Ἀντιφάνης, -ου, ὁ: Antiphanes (-NT)
     μάγος, -ου, ὁ: magician
     σταυρόω, σταυρώσω, ἐσταύρωσα, ---, ἐσταύρωμαι,
        ἐσταυρώθην: nail to a cross, crucify

(3) Ἀντιφάνης (2)
     ἀσθενέω, ---, ἠσθένησα, ---, ---, ---: be
        weak, sick
     Καῖσαρ, Καίσαρος, ὁ: Caesar
     μάγος (2)
     συλλαμβάνω, συλλήμψομαι, συνέλαβον, συνείληφα,
        ---, συνελήμφθην: seize, arrest, help,
        assist

14

τοῦ ξένου θεοῦ καὶ πατὴρ καὶ διδάσκαλος.

10.   Ὡς οὗτοι ἐβόων, <u>φοβηθεὶς</u> ὁ μακάριος ἀπόστο-
λος <u>μήποτε</u> ὁ ὄχλος τῆς πόλεως ἀποκτείνωσι τοὺς
ἀποσταλέντας παρὰ τοῦ Αἰγεάτου, ἐξελθὼν ἐκ τοῦ οἴ-
5 κου ἔστη ἐν μέσῳ τοῦ ὄχλου. καὶ ὡς ἤμελλεν λέγειν,
πάντες μιᾷ φωνῇ ἐβόησαν· Μέγας ὁ θεὸς τοῦ ξένου
ἀνθρώπου, ὁ θεὸς ὃς διὰ τοῦ δούλου αὐτοῦ <u>ἠλευθέρω-</u>
<u>σε</u> πάντας τοὺς <u>δουλωθέντας</u> ὑπὸ τοῦ διαβόλου. Καὶ
φησὶν ὁ Ἀνδρέας· Ἀδελφοὶ οἱ κληθέντες ὑπὸ τοῦ
10 λόγου καὶ ἐκλεχθέντες ὑπὸ τοῦ ὀνόματος αὐτοῦ· οὐ

15:3 ὁ ὄχλος...ἀποκτείνωσι: This is an example of
constructio ad sensum (a grammatical construction
according to the meaning). The collective noun ὁ
ὄχλος signifies a group composed of many individuals,
and so the writer put his verb in the plural.

---

(1)   δουλόω, δουλώσω, ἐδούλωσα, ---, δεδούλωμαι,
        ἐδουλώθην: enslave, make a slave of
      ἐλευθερόω, ἐλευθερώσω, ἠλευθέρωσα, ---, ---,
        ἠλευθερώθην: set free
      μήποτε: never, lest ever, lest perhaps; (with
        dir. quest.) It isn't really true that ...
        is it? What if ... not ...?
      φοβέομαι, ---, ---, ---, ---, ἐφοβήθην: be
        afraid of, reverence

(3)   ἐκλέγομαι, ---, ἐξελεξάμην, ---, ἐκλέλεγμαι,
        ἐξελέχθην: choose, select

15

μόνον τοῦτό ἐστιν χάρις ἵνα εἰς τὸν ἀποστείλαντά

με πιστεύσητε, ἀλλ' ἵνα καὶ ὑπὲρ αὐτοῦ ἀποθάνητε.

ἄφετε πορευθῶ πρὸς τὸν Αἰγεάτην. ἀποθανὼν γὰρ

κρεῖσσον ἢ ζῶν δείξω ὑμῖν σήμερον τὴν <u>δόξαν</u> τῆς

5 <u>ἀναστάσεως</u>. Μετὰ ταῦτα 'Ανδρέας ἔδωκε ἑαυτὸν τοῖς

στρατιώταις, οἳ αὐτὸν πρὸς τὸν Αἰγεάτην ἤνεγκαν.

11. Καὶ ὁ Αἰγεάτης ἰδὼν τὸν μακάριον 'Ανδρέαν

ἔφη· Εἰπέ, ἄνθρωπε ξένε τοῦ ἡμετέρου τόπου καὶ

τοῦ ἡμετέρου αἵματος, τί εἰσῆλθες εἰς τοὺς τόπους

10 Καίσαρος; τί ἀπώλεσας τοὺς ναοὺς τῶν θεῶν ἡμῶν;

τί εἶπες ὅλῃ τῇ 'Αχαΐᾳ πείθεσθαί τινι <u>ἐσταυρωμένῳ</u>;

16:1 χάρις: something to be considered in one's
favor (to one's credit). Compare Luke 6:32, 33 and
I Peter 2:19.
16:3 ἄφετε πορευθῶ: Let me go.
16:8 ξένε τοῦ ἡμετέρου τόπου καὶ τοῦ ἡμετέρου
αἵματος: foreign to our region and to our kin

---

(1) ἀνάστασις, -εως, ἡ: resurrection

(2) δόξα, -ης, ἡ: splendor, magnificence, glory,
        opinion

(3) σταυρόω, σταυρώσω, ἐσταύρωσα, ---, ἐσταύρωμαι,
        ἐσταυρώθην: nail to a cross, crucify

16

ὅλην τὴν πόλιν Πάτρας εἴληφας μὴ ἔχων στρατιώτας.

12. Καὶ ὁ μακάριος Ἀνδρέας εἶπεν· Ὁ καλὸς θεός,

ᾧ ἀκολουθῶ, ἤγαγέν με, ἵνα σωθῇς καὶ ἴδῃς τὴν δόξαν

τῆς ἀναστάσεως, ἐὰν πιστεύσῃς εἰς τὸν κύριον. δι'

5 αὐτοῦ οἱ θεοὶ ὑμῶν καὶ οἱ ναοὶ ὑμῶν ἐγενήθησαν εἰς

οὐδέν. ὅρα τὸ μέγα ἔργον, ἀνθύπατε, καὶ <u>δόξασον</u>

τὸν ἐμὸν θεόν, τὸν κρίτην τῶν ζώντων καὶ τῶν ἀπο-

θανόντων. οὗτος δὲ λαβὼν σῶμα ἦλθεν εἰς τὸν κόσμον,

καὶ ἡμᾶς τοὺς ἀποστόλους ἐξελέξατο ἐλθεῖν εἰς πάντα

10 τὰ ἔθνη κηρῦξαι τῷ ὀνόματι αὐτοῦ μετάνοιαν καὶ ἄφε-

σιν ἁμαρτιῶν καὶ τὴν ἀνάστασιν ἐκ τῶν ἀποθανόντων,

17:5 ἐγενήθησαν εἰς οὐδέν: came to nothing

---

(1) δοξάζω, δοξάσω, ἐδόξασα, ---, δεδόξασμαι,
        ἐδοξάσθην: praise, honor, glorify

(2) ἀκολουθέω, ἀκολουθήσω, ἠκολούθησα, ἠκολούθηκα,
        ---, ---: go with, follow, obey
    ἀνάστασις, -εως, ἡ: resurrection

(3) ἀνάστασις (2)
    ἄφεσις, -εως, ἡ: release, pardon, forgiveness
    δόξα, -ης, ἡ: splendor, magnificence, glory,
        opinion
    μετάνοια, -ας, ἡ: change of mind, repentance

17

ἵνα οἱ ἄνθρωποι <u>ἀποθέμενοι</u> τὰ εἴδωλα καὶ ἐπιγνόντες
τὸν ἕνα καὶ μόνον θεὸν λατρεύωσιν αὐτῷ μόνῳ. διὰ
τοῦτο καὶ σὲ ἀπέστειλεν ὧδε, ἵνα σωθῇς ἐὰν ἀκούσας
εἰς αὐτὸν πιστεύῃς. ἐὰν δὲ μὴ πιστεύῃς, <u>καταχριθή-</u>
5 <u>σῃ</u> μετὰ τῶν λεγομένων θεῶν σου.

13. Ὁ δὲ Αἰγεάτης κλείσας τὰ ὦτα μὴ θελήσας τῆς
ἀληθείας ἀκοῦσαι ἔφη· Μάγε, δέχου τὰς ἐμὰς δωρεάς.
Καὶ ὀνειδίσας τὸν Ἀνδρέαν ἐνετείλατο σταυρωθῆναι.
καὶ ὁ μακάριος ἀπόστολος ἐξερχόμενος ἔφη· Καλὸς
10 εἶ, Ἰησοῦ Χριστέ, ὅτι ἐπέθηκας τὴν σὴν χάριν ἡμῖν.
δέχου με νῦν εἰς τὰς αἰωνίους σου μονάς. Ὡς δὲ
ἦλθεν ἐπὶ τὸν <u>σταυρόν</u>, πᾶς ὁ ὄχλος ἐβόα· Κακὴ κρί-
σις τοῦ Αἰγεάτου· ξένον ἄνδρα ἀδικήσαντα <u>κατέχρι-</u>

18:5 μετὰ τῶν λεγομένων θεῶν σου: with your so-
called gods

---

(1) καταχρίνω, καταχρινῶ, κατέχρινα, ---, κατα-
      κέχριμαι, κατεχρίθην: condemn

(2) ἀποτίθημι, ---, ἀπέθηκα, ---, ---, ἀπετέθην:
        put off, lay aside, put away
      καταχρίνω (1)
      σταυρός, -οῦ, ὁ: cross

(3) ἀδικέω, ἀδικήσω, ἠδίκησα, ἠδίκηκα, ---, ἠδι-
        κήθην: do wrong, injure, harm

18

<u>νε</u>ν σταυρῷ; βαρεῖα κρίσις. κατάκρινε ἡμᾶς, ἀνθύ-
πατε, τοὺς ἁμαρτήσαντας καὶ μὴ κατάκρινε τὸν μὴ
ἀδικήσαντα.

14.   ‘Ως δὲ ἦλθεν ἐπὶ τὸν τόπον, βλέπει ὁ ’Ανδρέας

5   τὸ <u>ξύλον</u>. καὶ ἐγκαταλιπὼν πάντας <u>προσέρχεται</u> τῷ
σταυρῷ καὶ φησὶν τῷ <u>ξύ<u>λ</u>ῳ</u> μετὰ φωνῆς μεγάλης· Χαῖρε,
σταυρέ, <u>προσελήλυθά</u> σοι ὃν ἐπιγινώσκω ὡς ἴδιον.
ξύλε, γνωρίζεις τὴν νίκην Χριστοῦ κατὰ τῶν ἐχθρῶν.
προσέρχεσθε, στρατιῶται τοῦ Αἰγεάτου, ὑπηρέται τῆς

10   ἐμῆς χαρᾶς, καὶ πληροῦτε τὸ θέλημα τῶν δύο, τοῦ
ἀνθυπάτου καὶ τοῦ θεοῦ.

15.   Καὶ εἰπόντος αὐτοῦ ταῦτα προσελθόντες οἱ

---

(1)   ξύλον, -ου, τό: wood (building material),
         pale, gibbet, cross, tree
      προσέρχομαι, προσελεύσομαι, προσῆλθον, προσ-
         ελήλυθα, ---, ---: come to, approach

(2)   ξύλον (1)
      προσέρχομαι (1)

(3)   κατακρίνω, κατακρινῶ, κατέκρινα, ---, κατα-
         κέκριμαι, κατεκρίθην: condemn
      ξύλον (2)
      προσέρχομαι (2)
      σταυρός, -οῦ, ὁ: cross

19

στρατιῶται ἔδησαν αὐτοῦ τοὺς πόδας καὶ τὰς χεῖρας
ἐπὶ τῷ σταυρῷ. μετὰ δὲ τρεῖς ἡμέρας καὶ νύκτας ὁ
'Ανδρέας ἔτι ἔζη. οὐκ ἠσθένησεν τῇ φωνῇ καὶ ἔτι
ἐδόξαζε θεόν. ὥστε πᾶς ὁ ὄχλος ἐθαύμασε καὶ ἐδό-
5 ξασε τὸν ἀληθινὸν θεὸν τὸν διδόντα δύναμιν τοῖς
ἐπ' αὐτὸν ἠλπικόσιν.

16. Καὶ ὁ Αἰγεάτης ἀκούσας ὅτι ὁ 'Ανδρέας ἔτι ζῇ
ἐθαύμασεν καὶ τρέχων προσῆλθεν αὐτῷ καὶ ἔστηκε πρὸ
τῶν ποδῶν τοῦ ἀποστόλου. καὶ ὡς εἶδεν ὁ 'Ανδρέας
10 αὐτόν, ἔφη μεγάλῃ φωνῇ· Τί, Αἰγεᾶτα, προσελήλυθας

---

(1) δέω, ---, ἔδησα, δέδεχα, δέδεμαι, ἐδέθην:
      bind, tie
    ἔτι: yet, still

(2) δοξάζω, δοξάσω, ἐδόξασα, ---, δεδόξασμαι,
      ἐδοξάσθην: praise, honor, glorify
    ἔτι (1)
    πούς, ποδός, ὁ: foot

(3) δοξάζω (2)
    ἔτι (2)
    πούς (2)

τῷ δεθέντι; δεδουλωμένε ὑπὸ τοῦ διαβόλου, ἐλευθέ-
ρωσαι σεαυτοῦ τὴν ψυχήν. ἀκολούθει τῷ με ἀποστεί-
λαντι Χριστῷ. φοβήθητι μήποτε καταχριθῇς τῷ αἰω-
νίῳ θανάτῳ. φοβήθητι μήποτε ἀπολέσῃς σεαυτοῦ τὴν

5 ψυχήν. ἀπόθου τὰς ἁμαρτίας. ἔκβαλε τὰ εἴδωλα.
πίστευσον τῷ σταυρωθέντι καὶ ὄντι νῦν ἐν δεξιᾷ τοῦ
μόνου θεοῦ τῆς δόξης. καλὸς ὁ σταυρός. καλὸς ὁ

21:1 δεδουλωμένε: thou who hast been enslaved

---

(2)   δέω, ---, ἔδησα, δέδεκα, δέδεμαι, ἐδέθην:
         bind, tie
      δουλόω, δουλώσω, ἐδούλωσα, ---, δεδούλωμαι,
         ἐδουλώθην: enslave, make a slave of
      ἐκβάλλω, ἐκβαλῶ, ἐξέβαλον, ἐκβέβληκα, ---,
         ἐξεβλήθην: drive out, send out, throw
         out, remove
      ἐλευθερόω, ἐλευθερώσω, ἠλευθέρωσα, ---, ---,
         ἠλευθερώθην: set free
      μήποτε: never, lest ever, lest perhaps;
         (with dir. quest.) It isn't really true
         that ... is it? What if ... not ... ?
      φοβέομαι, ---, ---, ---, ---, ἐφοβήθην: be
         afraid of, reverence

(3)   ἀκολουθέω, ἀκολουθήσω, ἠκολούθησα, ἠκολούθη-
         κα, ---, ---: go with, follow, obey
      ἀποτίθημι, ---, ἀπέθηκα, ---, ---, ἀπετέθην:
         put off, lay aside, put away
      δεξιός, -ά, -όν: (adj.) right (not left);
         (subst.) right hand
      μήποτε (2)
      φοβέομαι (2)

21

σταυρωθείς. ἀλλὰ τί ταῦτα λέγω; ἐλθὲ πρός με,

Χριστέ. ἐλευθέρωσόν με τὸν δεθέντα ὑπὸ τοῦ Αἰγεά-

του, ἀλλὰ μὴ δουλωθέντα ὑπὸ τοῦ διαβόλου. ἀπόλυσον

τὸν σὸν δοῦλον ἵνα ἐγὼ γένωμαι μάρτυς ἀληθὴς τοῦ

5 μόνου θεοῦ.

17. Καὶ εἰπὼν ταῦτα καὶ δοξάσας πάλιν τὸν κύριον

ὁ μακάριος Ἀνδρέας ἔδωκεν τὸ πνεῦμα τῷ θεῷ σὺν τῇ

χαρᾷ. καὶ θαυμάσαντες πάντες ἐβόησαν· Μέγας ὁ

θεὸς Ἀνδρέου· καλὸς ὁ θεὸς τοῦ ξένου. Χριστέ,

10 σῶζε πάντας ἡμᾶς καθὼς ἔσωσας τὸν Ἀνδρέαν τὸν ἐπὶ

σοὶ ἠλπικότα.

18. Μετὰ δὲ τὸν θάνατον τοῦ ἀποστόλου ἡ γυνὴ τοῦ

Αἰγεάτου σὺν τῷ Στρατοκλεῖ, τῷ ἀδελφῷ τοῦ ἀνθυπά-

του, προσελθοῦσα τῷ σταυρῷ ἔλαβεν τὸ σῶμα τοῦ ἀπο-

---

(1) Στρατοκλῆς, -ου, ὁ: Stratocles (-NT)

(3) δέω, ---, ἔδησα, δέδεχα, δέδεμαι, ἐδέθην:
       bind, tie
     δουλόω, δουλώσω, ἐδούλωσα, ---, δεδούλωμαι,
       ἐδουλώθην: enslave, make a slave of
     ἐλευθερόω, ἐλευθερώσω, ἠλευθέρωσα, ---, ---,
       ἠλευθερώθην: set free

στόλου. αὐτὴ δὲ καὶ ὁ Στρατοκλῆς ἤνεγκον τοῦτο ἐκ
τῆς πόλεως. καὶ ἐκβαλοῦσα τὴν ἀλαζονείαν τοῦ βίου
ἑαυτῆς ὡς τῆς γυναικὸς τοῦ ἀνθυπάτου καὶ ἐγκαταλι-
ποῦσα τὸν ἄνδρα διὰ τὸν κακὸν βίον αὐτοῦ ἠκολούθει

5   τῷ Χριστῷ. ὁ δὲ Αἰγεάτης κατακριθεὶς ἐν τῇ καρδίᾳ
αὐτοῦ ἀναστὰς νυκτός, μηδενὸς ἄλλου γνόντος, ἔβαλεν
ἑαυτὸν ἀπὸ ὑψηλοῦ τόπου καὶ ἀπέθανεν. καὶ ὁ Στρα-
τοκλῆς, ὁ τοῦ Αἰγεάτου ἀδελφός, τὸν πλοῦτον τοῦ
ἀνθυπάτου τοῖς μὴ ἔχουσιν διέσπειρεν, ζητῶν καὶ

10   αὐτὸς τὴν βασιλείαν τῶν οὐρανῶν.

---

(2)   Στρατοκλῆς, -οῦ, ὁ: Stratocles (-NT)

(3)   διασπείρω, ---, διέσπειρα, ---, ---,
         διεσπάρην: disperse, scatter abroad,
         distribute
      ἐκβάλλω, ἐκβαλῶ, ἐξέβαλον, ἐκβέβληκα, ---,
         ἐξεβλήθην: drive out, send out, throw
         out, remove
      Στρατοκλῆς (2)

THE ACTS OF THE HOLY APOSTLE THOMAS

Thomas is assigned by the Lord as a missionary to India and is accompanied there by Peter and Matthew because of the reputed ferocity of the Indians. Soon after the three apostles reach a certain city of India, Thomas is sold as a slave by Christ to an agent of the King of India. Peter and Matthew bid Thomas farewell and the Lord disappears. Because he claims to be a builder and a physician, the apostle is highly recommended to the king, who transfers the new slave to the supervision of Leukios the Prince of India. He in turn goes off to war and leaves Thomas for his wife to direct. As a result of miracles Arsene, the princess, becomes a Christian. Leukios upon his return becomes angry with Thomas for having alienated his wife's affections, and accuses him of having failed to function as a builder. At Leukios' command the tanners of the city skin Thomas alive. Arsene dies in grief. Thomas is restored to normal health and given his former skin as an instrument with miraculous power. Arsene is resurrected, and Leukios is converted.

Continuing his mission Thomas goes to Kentera, where a multiple resurrection turns most of the city to the Lord. The priest of the local idols is defeated and converted by striking miracles.

Like "The Death of the Holy Martyr Andrew the Apostle," "The Acts of the Holy Apostle Thomas" belongs to the Apocryphal literature of the New Testament and was probably composed during the second century of the Christian era.

<u>Πράξεις</u> τοῦ ἁγίου ἀποστόλου <u>Θωμᾶ</u>.

1. Ἐγένετο μετὰ τὸ ἀναστῆναι τὸν κύριον Ἰησοῦν
Χριστόν, συνήγαγε τοὺς <u>δώδεκα</u> μαθητὰς αὐτοῦ καὶ λέ-
γει αὐτοῖς· <u>Δεῦτε</u>, ἐκάλεσα γὰρ ὑμᾶς ἀδελφούς· ὅτι
ἠγάπησα ὑμᾶς, καὶ <u>ὅσα</u> ἔμαθον ἐκ τοῦ πατρός μου ἐδί-
5 δαξα ὑμᾶς· <u>δεῦτε</u> οὖν, δῶμεν <u>κλήρους</u> ἀλλήλοις. καὶ
μαθέτω ἕκαστος ἐξ ὑμῶν τῶν <u>δώδεκα</u> τὴν <u>λαχοῦσαν</u> αὐ-
τῷ <u>χώραν</u> ἐν ὅλῳ τῷ κόσμῳ, καὶ πορευθέντες κηρύξατε
ἐν αὐταῖς τὸ <u>εὐαγγέλιόν</u> μου, ἵνα <u>ἐπιστρέψῃ</u> ὁ κόσμος
εἰς τὴν δικαιοσύνην ὑμῶν.

10 2. Μὴ φοβεῖσθε οὖν αὐτούς· <u>πολλοὺς</u> γὰρ <u>κόπους</u>

---

(1) δεῦτε: Come!
δώδεκα: twelve
ἐπιστρέφω, ἐπιστρέψω, ἐπέστρεψα, ---, ---,
    ἐπεστράφην: turn, turn around, turn
    back, return
εὐαγγέλιον, -ου, τό: good news, gospel
Θωμᾶς, -ᾶ, ὁ: Thomas
κλῆρος, -ου, ὁ: lot, portion
κόπος, -ου, ὁ: trouble, work, toil
λαγχάνω, ---, ἔλαχον, ---, ---, ---: obtain,
    be assigned, cast lots, fall to one's lot
ὅσος, -η, -ον: as great as, as far as, as
    much as, how great, how far, how much
πολύς, πολλή, πολύ: much, many, large, great
πρᾶξις, -εως, ἡ: action, function, deed
χώρα, -ας, ἡ: region, country, land

(2) δεῦτε (1)
δώδεκα (1)

25

καὶ πολλὴν θλῖψιν μέλλετε παθεῖν διὰ τὸ ὄνομά μου·
ἀλλὰ μείνατε μετ' αὐτῶν ἕως ἐκβάλητε τὴν πλάνην τῶν
εἰδώλων ἐξ αὐτῶν καὶ ἐπιστρέψητε αὐτοὺς εἰς τὴν
γνῶσιν τοῦ θεοῦ· μνήσθητε ὅσους κόπους ὑπὲρ τῶν
5 ψυχῶν τούτων ἔπαθον ἐγώ.

3. Ἀποκριθεὶς οὖν ὁ Θωμᾶς ἀπόστολος λέγει· Κύ-
ριε, ἰδοὺ ἔλαχον ἐγὼ τὸν κλῆρον ἵνα ἀπέλθω εἰς τὴν
'Ινδίαν· πῶς δύναμαι μετ' αὐτῶν εἶναι; ἤκουσα γὰρ
ὅτι οἱ ἄνθρωποι τοῦ τόπου ἐκείνου εἰσὶν ὅμοιοι τοῖς

---

(1) 'Ινδία, -ας, ἡ: India (-NT)
  μετ': μετά
  μιμνήσκομαι, ---, ---, ---, μέμνημαι, ἐμνή-
      σθην: remember
  πάσχω, πείσομαι, ἔπαθον, πέπονθα, ---, ---:
      experience, suffer

(2) ἐπιστρέφω, ἐπιστρέψω, ἐπέστρεψα, ---, ---,
      ἐπεστράφην: turn, turn around, turn
      back, return
  Θωμᾶς, -ᾶ, ὁ: Thomas
  κλῆρος, -ου, ὁ: lot, portion
  κόπος, -ου, ὁ: trouble, work, toil
  λαγχάνω, ---, ἔλαχον, ---, ---, ---: obtain,
      be assigned, cast lots, fall to one's lot
  μετ' (1)
  ὅσος, -η, -ον: as great as, as far as, as much
      as, how great, how far, how much
  πάσχω (1)
  πολύς, πολλή, πολύ: much, many, large, great

26

θηρίοις τῆς γῆς· κόπος γάρ ἐστιν ἵνα κηρύξω αὐτοῖς
τὸ εὐαγγέλιόν σου, κύριε.

4. Ἀποκριθεὶς δὲ ὁ Ἰησοῦς εἶπεν αὐτῷ· Μὴ φοβοῦ,
Θωμᾶ ὁ ἐκλεκτός μου· ἐγὼ ἀποστελῶ μετά σου Πέτρον
5 τὸν ἀδελφόν σου εἰς τὴν χώραν ἐκείνην.

5. Μετὰ δὲ ταῦτα ἀπέστειλεν ὁ Ἰησοῦς ἕκαστον πο-
ρευθῆναι εἰς τὴν τοῦ κλήρου αὐτοῦ χώραν· καὶ λέγει
ὁ Ἰησοῦς τῷ Πέτρῳ καὶ τῷ Ματθαίῳ· Πορεύεσθε μετὰ
τοῦ Θωμᾶ τοῦ ἐκλεκτοῦ μου ἕως τῆς Ἰνδίας· κἀγὼ
10 πορεύσομαι σὺν ὑμῖν ἕως οὗ ἄγομεν εἰς τὴν χώραν
ἐκείνην Θωμᾶν. μετὰ δὲ ταῦτα ἀπέστειλεν ὁ Ἰησοῦς

27:4 Θωμᾶ ὁ ἐκλεκτός μου: Thomas, my chosen.
Even in Classical Greek the first inflectional
form may have the function of the vocative, as
here.

---

(1) ἐκλεκτός, -ή, -όν: chosen, select, choice,
        excellent
    Ματθαῖος, -ου, ὁ: Matthew

(2) ἐκλεκτός (1)
    εὐαγγέλιον, -ου, τό: good news, gospel
    ἕως οὗ: until
    Ἰνδία, -ας, ἡ: India (-NT)
    χώρα, -ας, ἡ: region, country, land

(3) Θωμᾶς, -ᾶ, ὁ: Thomas
    κλῆρος, -ου, ὁ: lot, portion
    κόπος, -ου, ὁ: trouble, work, toil
    χώρα (2)

27

Θωμᾶν πορευθῆναι εἰς τὴν χώραν τὴν λαχοῦσαν αὐτῷ.

6. Ἀναστάντες οὖν ἀμφότεροι, Πέτρος καὶ Ματθαῖ-
ος, ἐπορεύθησαν μετὰ τοῦ Θωμᾶ εἰς τὴν Ἰνδίαν· καὶ
εἰσῆλθον τοῦ διδάξαι ἐν αὐτῇ τὸν λόγον τοῦ θεοῦ καὶ

5 ἐκάθισαν ἀμφότεροι μέσον τινὸς πόλεως, ἐπεὶ οὐχ εὗ-
ρον τόπον τοῦ μεῖναι ἐκεῖ· τότε λέγει ὁ Θωμᾶς τῷ
Πέτρῳ· Πάτερ Πέτρε, αὕτη ἐστὶν ἡ πρώτη πόλις εἰς
ἣν εἰσήλθομεν ἐν αὐτῇ κηρῦξαι τὸν λόγον τοῦ θεοῦ·
μήποτε δυνησόμεθα λυτρώσασθαι τὰς ψυχὰς αὐτῶν;

10 οὕτως γὰρ ἐδιδάχθημεν παρὰ τοῦ σωτῆρος λέγοντος·

28:4 τοῦ διδάξαι: the genitive of the articular
infinitive here, as often, expresses purpose.

---

(1) ἀμφότεροι, -αι, -α: both
    καθίζω, καθίσω, ἐκάθισα, κεκάθικα, ---, ---:
        make to sit down, seat, appoint; sit down
    λυτρόομαι, λυτρώσομαι, ἐλυτρωσάμην, ---, ---,
        ---: release by payment of a ransom,
        redeem, let go free, liberate
    μέσον: in the middle of, in the midst of

(2) ἀμφότεροι (1)
    Ματθαῖος, -ου, ὁ: Matthew

(3) Ἰνδία, -ας, ἡ: India (-NT)
    λαγχάνω, ---, ἔλαχον, ---, ---, ---: obtain,
        be assigned, cast lots, fall to one's lot

28

Ὁ λυτρούμενος ψυχὰς ἀπὸ τῶν εἰδώλων, οὗτος ἔσται
μέγας ἐν τῇ βασιλείᾳ μου.

7. Καὶ ταῦτα αὐτῶν λεγόντων, ἰδοὺ ἀνὴρ πραγματευ-
τὴς Κονδηφόρου τοῦ βασιλέως τῆς Ἰνδίας ἐρχόμενος
5 διὰ τῆς πλατείας· καὶ θεωρήσας τοὺς ἀποστόλους
ὅπου ἐκάθισαν ἐν τῇ πλατείᾳ, ξένους εἶναι νομίσας,
λέγει αὐτοῖς· Ἀδελφοί, πόθεν ἐστέ; λέγει αὐτῷ ὁ
ἅγιος Πέτρος· Τί λέγεις· Πόθεν ἐστέ; τίνα ζητεῖς;
καὶ ὁ πραγματευτής·// Ζητῶ δοῦλον ἀγοράσαι, καὶ θέλω
10 μαθεῖν ἐξ ὑμῶν εἰ δοῦλοί ἐστε ἢ ἐλεύθεροι, καὶ εἰ

---

(1) ἀγοράζω, ---, ἠγόρασα, ---, ---, ἠγοράσθην:
        buy, purchase
   Κονδηφόρος, -ου, ὁ: Kondephoros (-NT)
   νομίζω, ---, ἐνόμισα, ---, ---, ἐνομίσθην:
        think, believe, consider
   ὅπου: where
   πλατεία, -ας, ἡ: street
   πόθεν: whence? from what place?
   πραγματευτής, -οῦ, ὁ: business man, merchant
        (-NT)

(2) καθίζω, καθίσω, ἐκάθισα, κεκάθικα, ---, ---:
        make sit down, seat, appoint; sit down
   λυτρόομαι, λυτρώσομαι, ἐλυτρωσάμην, ---, ---,
        ---: release by payment of a ransom,
        redeem, let go free, liberate
   πλατεία (1)
   πόθεν (1)
   πραγματευτής (1)

29

δύναμαι ἕνα ὑμῶν <u>ἀγοράσαι</u>. λέγει αὐτῷ ὁ Πέτρος·

Δοῦλοί ἐσμεν καὶ τρεῖς ἑνὸς δεσπότου λεγομένου Ἰη-

σοῦ· κάθισον οὖν ὧδε ἕως οὗ ἔλθῃ ὁ κύριος ἡμῶν·

καὶ εἴ τινα θέλεις ἐξ ἡμῶν ἀγοράσαι, <u>συμφωνήσει</u> σοι

5 περὶ αὐτοῦ ὁ δεσπότης Χριστός.

8. Καὶ ταῦτα λεγόντων αὐτῶν ἰδοὺ ὁ Ἰησοῦς φαί-

νεται αὐτοῖς <u>κρυπτῶς</u> καὶ λέγει αὐτοῖς <u>κρυπτῶς</u>·

Χαῖρε, Πέτρε· χαῖρε, Θωμᾶ ὁ ἐκλεκτός μου· χαῖρε,

Ματθαῖε ὁ κλῆρός μου ὁ <u>τετιμημένος</u>· μὴ φοβεῖσθε,

---

(1) κρυπτός, -ή, -όν: hidden, secret, private;
        κρυπτῶς: secretly
     συμφωνέω, συμφωνήσω, συνεφώνησα, ---, ---,
        συνεφωνήθην: agree with, be in harmony,
        make an agreement, agree together
     τιμάω, τιμήσω, ἐτίμησα, ---, τετίμημαι, ---:
        fix a price upon, value, honor, revere

(2) ἀγοράζω, ---, ἠγόρασα, ---, ---, ἠγοράσθην:
        buy, purchase
     κρυπτός (1)

(3) ἀγοράζω (2)
     ἐκλεκτός, -ή, -όν: chosen, select, choice,
        excellent
     ἕως οὗ: until
     καθίζω, καθίσω, ἐκάθισα, κεκάθικα, ---, ---:
        make to sit down, seat, appoint; sit down
     Ματθαῖος, -ου, ὁ: Matthew

30

ἐγὼ γάρ εἰμι μεθ' ὑμῶν. καὶ ταῦτα κρυπτῶς ὁ ʼΙη-
σοῦς εἰπὼν αὐτοῖς οὐκ ἀφῆκεν τὸν πραγματευτὴν μα-
θεῖν τί ἐλάλησεν αὐτοῖς.

9. Καὶ ἀπελθὼν ὁ ʼΙησοῦς ἀπὸ Πέτρου καὶ Ματθαίου
5   καὶ Θωμᾶ ἐκάθισεν <u>ὑποκάτω στοᾶς ἐπάνω</u> λίθου· καὶ
λέγει ὁ Πέτρος τῷ πραγματευτῇ· ʼΙδοὺ ὁ δεσπότης
ἡμῶν <u>κάθηται ὑποκάτω τῆς στοᾶς</u>· λάλησον αὐτῷ, καὶ
<u>συμφωνήσει</u> σοι περὶ ἡμῶν ὄντινα θέλεις.

10. Πορευθεὶς δὲ ὁ πραγματευτὴς λέγει τῷ ʼΙησοῦ
10 τῷ <u>καθημένῳ ὑποκάτω τῆς στοᾶς</u>· Χαῖρε, ἄνερ <u>τετι</u>-

---

(1) ἐπάνω: above, upon, over, more than
    κάθημαι, καθήσομαι, ---, ---, ---, ---: sit,
        be seated, sit down
    στοά, -ᾶς, ἡ: colonnade, cloister, portico
    ὑποκάτω: under, below

(2) κάθημαι (1)
    στοά (1)
    συμφωνέω, συμφωνήσω, συνεφώνησα, ---, ---,
        συνεφωνήθην: agree with, be in harmony,
        make an agreement, agree together
    τιμάω, τιμήσω, ἐτίμησα, ---, τετίμημαι, ---:
        fix a price upon, value, honor, revere
    ὑποκάτω (1)

(3) κρυπτός, -ή, -όν: hidden, secret, private;
        κρυπτῶς: secretly
    πραγματευτής, -οῦ, ὁ: business man, merchant
    στοά (2)   ⌐(-NT)
    ὑποκάτω (2)

31

μημένε· εἰ ἀρεστόν ἐστιν τῇ σῇ δόξῃ πωλῆσαι ἡμῖν

ἕνα ἐκ τῶν δούλων σου; λέγει αὐτῷ ὁ 'Ιησοῦς· "Ον-

τινα θέλεις ἐκ τῶν δύο συμφωνῶ περὶ αὐτοῦ· τὸν γέ-

ροντα οὐ πωλῶ ὅτι ἐν τῷ οἴκῳ μου ἐγεννήθη, καὶ οὐ

5 δύναμαι πωλῆσαι αὐτόν. βλέψας δὲ ὁ πραγματευτὴς

ἀμφοτέρους, Ματθαῖον καὶ Θωμᾶν, λέγει τῷ 'Ιησοῦ·

Τί θέλεις εἰς τὸν νεώτερον, ἄνερ τετιμημένε; λέ-

γει αὐτῷ ὁ 'Ιησοῦς· Λίτρας τρεῖς χρυσίου.

11. Καὶ ὁ πραγματευτὴς λέγει τῷ 'Ιησοῦ· "Αγωμεν

10 πρὸς τὸν νομικὸν ὅπως γράψωμεν τὴν πρᾶσιν αὐτοῦ.

---

(1) γέρων, -οντος, ὁ: old man
    εἰ: (sign of a question in this context)
    λίτρα, -ας, ἡ: pound (12 ounces)
    νομικός, -ή, -όν: learned in the law; (subst.)
    ὅπως: how, in order that, that   /lawyer
    πρᾶσις, -εως, ἡ: bill of sale (-NT)
    πωλέω, ---, ἐπώλησα, ---, ---, ---: sell
    χρυσίον, -ου, τό: gold, golden ornaments,
        gold coin
(2) πωλέω (1)

(3) ἀμφότεροι, -αι, -α: both
    πωλέω (2)
    συμφωνέω, συμφωνήσω, συνεφώνησα, ---, ---,
        συνεφωνήθην: agree with, be in harmony,
        make an agreement, agree together
    τιμάω, τιμήσω, ἐτίμησα, ---, τετίμημαι, ---:
        fix a price upon, value, honor, revere

λέγει αὐτῷ ὁ Ἰησοῦς· Οὐ χρείαν ἔχομεν νομικοῦ,

ἀλλ' ἐγὼ γράψω σοι τῇ χειρί μου τὴν πρᾶσιν αὐτοῦ.

καὶ οὐκ ἤγαγον πρὸς τὸν νομικόν, ἀλλ' ὁ Ἰησοῦς

ἔγραψεν αὐτῷ τὴν πρᾶσιν τοῦ Θωμᾶ οὕτως· Πωλῶ

5 Κονδηφόρῳ τῷ βασιλεῖ τῆς Ἰνδίας τὸν δοῦλον τοῦτον

ὀνόματι Θωμᾶν. καὶ τελειώσας τὴν πρᾶσιν ἔδωκε τῷ

πραγματευτῇ τοῦ βασιλέως καὶ ἔλαβε τὰς τρεῖς λίτρας

τοῦ χρυσίου.

12. Λαβὼν δὲ ὁ Ἰησοῦς τὸν Θωμᾶν κρυπτῶς ἔδωκεν

10 αὐτῷ τὰς λίτρας τρεῖς ἐν τῷ ὀνόματι τῶν ἁγίων τρι-

ῶν, Μίαν μέν, φησι, δοὺς ὑπὲρ τοῦ πατρός μου, ἄλλην

δὲ ἐν τῷ ὀνόματι ἐμοῦ τοῦ διδασκάλου ὑμῶν· τὴν δὲ

ἐσχάτην ἐν τῷ ὀνόματι τοῦ ἁγίου πνεύματος. λέγει

---

(1) μέν: on the one hand, truly, (often best
         untranslated)

(2) Κονδηφόρος, -ου, ὁ: Kondephoros (-NT)
    λίτρα, -ας, ἡ: pound (12 ounces)
    νομικός, -ή, -όν: learned in the law; (subst.)
         lawyer
    πρᾶσις, -εως, ἡ: bill of sale (-NT)
    χρυσίον, -ου, τό: gold, golden ornaments,
         gold coin

(3) λίτρα (2)
    νομικός (2)
    πρᾶσις (2)

δὲ Θωμᾶς τῷ 'Ιησοῦ· 'Ελέησόν με, δέσποτα. ταῦτα
δὲ Θωμᾶ εἰπόντος ἀνελήμφθη ἀπ' αὐτῶν ὁ 'Ιησοῦς.

13. Τότε λέγει Θωμᾶς πρὸς τὸν Πέτρον καὶ τὸν Ματ-
θαῖον. Δεῦτε ἀσπασώμεθα ἀλλήλους· οὐκέτι γὰρ θε-
5 ωρούμεθα ὑπ' ἀλλήλων ἐν τῷ αἰῶνι τούτῳ ἕως οὗ συν-
άξαι μέλλῃ ἡμᾶς ὁ κύριος εἰς τὰ 'Ιεροσόλυμα τοῦ
οὐρανοῦ. ἠσπάσαντο οὖν ἀλλήλους.

14. Πορευόμενος δὲ μετὰ τοῦ πραγματευτοῦ ὁ Θωμᾶς
ἔλεγεν· Τέκτων εἰμὶ καὶ ἰατρός. ὅτι μὲν τέκτων
10 εἰμί, ἐγὼ οἶδα ποιῆσαι καλῶς ἰερὰ καὶ βασίλεια

---

(1) ἀναλαμβάνω, ---, ἀνέλαβον, ἀνείληφα, ---,
        ἀνελήμφθην: take up, take up to carry,
        take along, adopt
    ἀσπάζομαι, ---, ἠσπασάμην, ---, ---, ---:
        greet, welcome, take leave of
    βασίλειος, -ον: royal; (subst. in neut.)
        royal palace
    ἰατρός, -οῦ, ὁ: physician
    ἰερός, -ά, -όν: holy; (subst.in neut.) temple
    καλῶς: well, nobly, in an excellent way
    τέκτων, -ονος, ὁ: carpenter, worker in wood,
        builder

(2) ἀσπάζομαι (1)
    μέν: on the one hand, truly, (often best
        untranslated)
    τέκτων (1)

(3) δεῦτε: Come!

34

βασιλεῦσιν· οἶδα καὶ ποιῆσαι πλοῖα μεγάλα καὶ μο-
δίους δικαίους καὶ ἄροτρα γεωργοῖς. ὅτι δὲ ἰατρός
εἰμι, οἶδα θεραπεῦσαι πᾶσαν νόσον ἐν τῇ σαρκὶ τοῦ
ἀνθρώπου, χωρὶς δὲ μισθοῦ.

5 15. Ἀκούσας δὲ τοὺς λόγους τούτους ὁ πραγματευ-
τὴς ἐκ τοῦ Θωμᾶ ἐχάρη χαρᾷ μεγάλῃ καὶ λέγει αὐτῷ·
Ἀληθῶς τοιούτων τεκτόνων καὶ ἰατρῶν χρείαν ἔχει ὁ
βασιλεύς μου· καὶ εἰ ταύτας τὰς πράξεις τελειοῖς,
ἡμεῖς ἀπὸ τοῦ βασιλέως πολὺ χρυσίον λημψόμεθα.

10 16. Πορευθέντες δὲ ἡμέρας τινὰς ἤλθοσαν εἰς τὴν

35:10 ἤλθοσαν: (3rd pl. 2nd aor. indic. of ἔρχομαι, a
Hellenistic equivalent of ἤλθον. Compare εἴχοσαν
in John 15:22.)

---

(1) ἄροτρον, -ου, τό: plow
     μισθός, -οῦ, ὁ: pay, wages, reward, punishment
     μόδιος, -ου, ὁ: peck, half bushel
     νόσος, -ου, ἡ: disease, sickness
     πλοῖον, -ου, τό: ship, boat
     τοιοῦτος, τοιαύτη, τοιοῦτο(ν): such as this
     χωρίς: without, apart from

(2) ἰατρός, -οῦ, ὁ: physician
     πρᾶξις, -εως, ἡ: action, function, deed

(3) ἰατρός (2)
     πολύς, πολλή, πολύ: much, many, large, great
     τέκτων, -ονος, ὁ: carpenter, worker in wood,
          builder
     χρυσίον, -ου, τό: gold, golden ornaments,
          gold coin

τοῦ βασιλέως πόλιν· εἰσελθὼν δὲ ὁ πραγματευτὴς
πρὸς Κονδηφόρον τὸν βασιλέα ἀπήγγειλεν πάντα περὶ
τοῦ Θωμᾶ καὶ ἔδειξεν αὐτῷ τὴν γραφεῖσαν πρᾶσιν
παρὰ τοῦ ᾿Ιησοῦ· θεωρήσας δὲ ταύτην ὁ βασιλεὺς
5 ἐθαύμασε τοιαύτην πρᾶσιν καὶ λέγει τῷ πραγματευτῇ·
᾿Αληθῶς ἡ πρᾶσις αὕτη θεοῦ βασιλέως ἐστίν. ᾿Ανήγ-
γειλε μὲν ὁ πραγματευτὴς καὶ τὰς πράξεις τοῦ Θωμᾶ·
ἐχάρη δὲ ὁ βασιλεὺς ἐπὶ τῷ καινῷ δούλῳ.
17. ᾿Αποκριθεὶς δὲ ὁ βασιλεὺς λέγει τῷ πραγματευ-
10 τῇ· Λάβε τὸν δοῦλον τοῦτον καὶ πορεύθητι πρὸς
Λεύκιον τὸν ἄρχοντα τῆς ᾿Ινδίας, καὶ δότω αὐτῷ
χρυσίον ὅσον βούλῃ ὅπως κτίσῃ βασίλεια τῇ βασιλείᾳ

---

(1) ἄρχων, -οντος, ὁ: ruler, lord, prince
     βούλομαι, ---, ---, ---, ---, ἐβουλήθην:
          wish, desire
     κτίζω, ---, ἔκτισα, ---, ἔκτισμαι, ἐκτίσθην:
          create, make
     Λεύκιος, -ου, ὁ: Leukios (-NT)

(2) βασίλειος, -ον: royal; (subst.) royal palace
     ὅπως: how, in order that, that
     τοιοῦτος, τοιαύτη, τοιοῦτο(ν): such as this

(3) Κονδηφόρος, -ου, ὁ: Kondephoros (-NT)
     μέν: on the one hand, truly (often best un-
     ὅσος, -η, -ον: as great as, as /translated)
          far as, as much as, how great, how far
     πρᾶξις, -εως, ἡ: action, function, deed

36

μου, βασίλεια καλλίονα πάντων τῶν ἄλλων τῆς οἰκου-
μένης. λαβὼν δὲ ὁ πραγματευτὴς τὸν Θωμᾶν παρέδωκεν
αὐτὸν Λευκίῳ τῷ ἄρχοντι τῆς χώρας ἐκείνης· δεξάμε-
νος δὲ αὐτὸν ὁ Λεύκιος ἐποίησεν ὡς ἐνετείλατο αὐτῷ

5 ὁ ἄγγελος τοῦ βασιλέως, καὶ ἔδωκεν τῷ Θωμᾷ χρυσίον
καὶ ἀργύριον πολὺ εἰς τὸ ἔργον αὐτοῦ.

18. Καὶ μετ' οὐ πολὺ ἀπέστειλεν ὁ βασιλεὺς πρὸς
Λεύκιον γράμματα ἵνα πορευθῇ πρὸς αὐτὸν σπεύσας·
καὶ ἀναγνοὺς τὰ γράμματα ταῦτα ὁ Λεύκιος ἔδωκεν

37:1 πάντων τῶν ἄλλων (The second inflectional form
after the comparative adjective καλλίονα is an
alternative expression for ἢ πάντα τὰ ἄλλα.)

---

(1) ἀναγινώσκω, ἀναγνώσομαι, ἀνέγνων, ---, ---,
    ἀνεγνώσθην: read, read aloud
γράμμα, -ατος, τό: letter (of the alphabet),
    epistle, document, (pl.) learning,
    letters, epistles, documents
καλλίων, κάλλιον (comparative of καλός):
    more beautiful
οἰκουμένη, -ης, ἡ: inhabited earth, world
παραδίδωμι, παραδώσω, παρέδωκα, παραδέδωκα,
    παραδέδομαι, παρεδόθην: hand over,
    hand down, surrender

(2) ἄρχων, -οντος, ὁ: ruler, lord, prince
γράμμα (1)
Λεύκιος, -ου, ὁ: Leukios (-NT)

(3) βασίλειος, -ον: royal; (subst.) royal palace
Λεύκιος (2)
μετ':μετά

37

αὐτὰ τῇ γυναικὶ αὐτοῦ ἵνα αὕτη καὶ ἀναγνῷ. ἐν τοῖς
γράμμασι εὗρεν ὁ Λεύκιος ὅτι ἐκάλει αὐτὸν ἐκεῖσε ὁ
βασιλεύς, καί φησιν· 'Ιδοὺ ἐγὼ ἀπέρχομαι· βλέπετε
δὲ τὸν δοῦλον τοῦτον μήποτε οὐ δουλεύσει ἐν τῷ ἐμῷ
5 οἴκῳ καὶ οὐ ποιήσει τὴν ἐντολὴν τοῦ βασιλέως. ἀλλὰ
ποιείτω τὸ ἔργον ἕως οὗ καὶ αὐτὸς ἐπιστρέψω ὧδε·
ὑμεῖς δὲ πάντες, ὁ ἐμὸς λαός, φυλάσσετε τὸν οἶκον
ἡμῶν καὶ πάντα τὰ καθ' ὑμᾶς πειθόμενοι τῇ κυρίᾳ
ὑμῶν.

10 19. Καὶ ἐντειλάμενος τῷ οἴκῳ αὐτοῦ καὶ παντὶ τῷ
λαῷ ἀπῆλθεν· ἦν γὰρ μαχόμενος πρὸς τὸν βασιλέα
'Ινδίας ὁ βασιλεὺς ἄλλης χώρας, καὶ διὰ τοῦτο Λεύ-

38:8 πάντα τὰ καθ' ὑμᾶς: (καθ' ὑμᾶς=ὑμέτερα or
ὑμῶν. See Arndt-Gingrich p. 408.) all your
property (or) possessions.

---

(1) ἐκεῖσε: to that place, in that place
     καθ': κατά
     κυρία, -ας, ἡ: lady, mistress

(2) ἀναγινώσκω, ἀναγνώσομαι, ἀνέγνων, ---, ---,
     ἀνεγνώσθην: read, read aloud

(3) γράμμα, -ατος, τό: letter (of the alphabet)
     epistle, document, (pl.) learning,
     letters, epistles, documents

κιον ἀπέστειλεν ὁ βασιλεὺς <u>ἐχεῖσε</u> πρὸς πόλεμον.

20. Τούτου δὲ ἀπελθόντος εὑρὼν ὁ ἀπόστολος <u>καιρὸν</u>
ἀρεστὸν εἰσῆλθεν πρὸς τὴν γυναῖκα τοῦ ἄρχοντος καὶ
ἀνέγνω αὐτῇ τὸ εὐαγγέλιον τοῦ θεοῦ καὶ τὸν λόγον
5 τῶν προφητῶν, καὶ λέγει αὐτῇ· ^γ<u>Ὦ</u> <u>Ἀρσενῇ</u> <u>κυρία</u> τῆς
Ἰνδίας, θεωρῶ σε ἐν τῷ φοβερῷ πυρὶ οὖσαν· τυφλω-
μένη γὰρ θεοὺς μὴ <u>ὑπάρχοντας</u> <u>προσκυνεῖς</u>· οὓς γὰρ
<u>νομίζεις</u> θεοὺς οὐκ εἰσιν θεοί. γλῶσσας ἔχουσιν καὶ
οὐ λαλοῦσιν· ὀφθαλμοὺς ἔχουσιν καὶ οὐ βλέπουσιν,
10 ὦτα καὶ οὐκ ἀκούουσιν· καὶ πάντες οἱ <u>προσκυνοῦντες</u>
αὐτοῖς ὅμοιοί εἰσιν. εἰ δὲ <u>βούλῃ</u> ἰδεῖν τὴν δύναμιν

---

(1) Ἀρσενῇ, -ῆς, ἡ: Arsene (-NT)
    καιρός, -οῦ, ὁ: time, right time
    προσκυνέω, προσκυνήσω, προσεκύνησα, ---, ---,
        ---: worship, do obeisance to, prostrate
        oneself before
    ὑπάρχω, ---, ---, ---, ---, ---: exist, be
    ὦ: O! (before a vocative)

(2) βούλομαι, ---, ---, ---, ---, ἐβουλήθην:
        wish, desire
    ἐχεῖσε: to that place, in that place
    κυρία, -ας, ἡ: lady, mistress
    νομίζω, ---, ἐνόμισα, ---, ---, ἐνομίσθην:
        think, believe, consider
    προσκυνέω (1)

(3) ἀναγινώσκω, ἀναγνώσομαι, ἀνέγνων, ---, ---,
        ἀνεγνώσθην: read, read aloud
    ἄρχων, -οντος, ὁ: ruler, lord, prince
    εὐαγγέλιον, -ου, τό: good news, gospel

αὐτῶν, εἰσέλθωμεν πρὸς αὐτούς, καὶ αὐτοὶ ἐφ' ἑαυ-
τοῖς τὴν ἀλήθειαν δείξουσιν.

21. Ἀκούσασα δὲ Ἀρσενῆ ἡ κυρία τὰ παρὰ τοῦ ἀπο-
στόλου λεγόμενα δούλοις τισὶν ἔφη· Πορευθέντες
5 τοὺς μεγάλους θεοὺς <u>ἑτοιμάσατε</u> ὅπως ἔλθωμεν ἐκεῖσε,
καὶ ὁ ἄνθρωπος οὗτος μεθ' ἡμῶν, καὶ ἴδωμεν τί ἐστι
τὰ παρ' αὐτοῦ πρὸς ἡμᾶς κατὰ τῶν θεῶν ἡμῶν βλασφη-
μούμενα. καὶ ἀπελθόντες <u>ἡτοίμασαν</u> πάντα.

22. Πάντων οὖν ἑτοιμασθέντων ὁ ἀπόστολος μετὰ τῆς
10 Ἀρσενῆς εἰσῆλθεν, καὶ δείκνυσι αὐτῷ ἡ Ἀρσενῆ
τοὺς θεοὺς αὐτῶν πάντας ὅσους ἂν καὶ εἶχεν· ὁ δὲ
ἀπόστολος τοῦ Χριστοῦ <u>ἐκτείνας</u> τὰς χεῖρας αὐτοῦ εἰς

40:1 ἐφ' ἑαυτοῖς: by themselves

---

(1) ἐκτείνω, ἐκτενῶ, ἐξέτεινα, ---, ---, ---:
       stretch out
   ἑτοιμάζω, ἑτοιμάσω, ἡτοίμασα, ἡτοίμακα, ἡτοί-
       μασμαι, ἡτοιμάσθην: make ready, prepare

(2) Ἀρσενῆ, -ῆς, ἡ: Arsene (-NT)
   ἑτοιμάζω (1)

(3) Ἀρσενῆ (2)
   ἐκεῖσε: to that place, in that place
   ἑτοιμάζω (2)
   κυρία, -ας, ἡ: lady, mistress
   ὅπως: how, in order that, that

τὸν οὐρανὸν εἶπεν· Σύ, δέσποτα κύριε, ὁ βλέπων τὴν
γῆν, καὶ ποιεῖς αὐτὴν <u>κινεῖν</u>· ποίησον <u>σημεῖα</u> <u>μέσον</u>
τῶν λίθων τούτων καὶ μέσον τῆς χώρας ταύτης, ἵνα
δοξασθῇ τὸ ὄνομά σου εἰς τοὺς αἰῶνας· <u>ἀμήν</u>.

5   23. Προσευξαμένου δὲ αὐτοῦ <u>ἐκινήθη</u> τὰ <u>ἱερά</u>, καὶ
ἔπεσον ἐπὶ τὴν γῆν τὰ εἴδωλα πάντα καὶ ἐλύθησαν
ἔμπροσθεν τῆς 'Αρσενῆς καὶ παντὸς τοῦ λαοῦ· ἐξῆλ-
θοσαν δὲ καὶ τὰ πονηρὰ <u>δαιμόνια</u> τὰ ἐν τοῖς εἰδώλοις
ὄντα <u>κράζοντα</u>· Οὐαὶ ἡμῖν, ἀπῆλθεν γὰρ ἡ παρρησία
10 ἡμῶν σήμερον εἰσελθόντος τοῦ Θωμᾶ εἰς τὸν οἶκον
ἡμῶν μετὰ 'Ιησοῦ Χριστοῦ.

41:7 ἐξῆλθοσαν (See p.35:10.)

(1) ἀμήν: truly, amen, so be it
     δαιμόνιον, -ου, τό: divinity, demon, evil
          spirit
     κινέω, κινήσω, ἐκίνησα, ---, ---, ἐκινήθην:
          move, remove, set in motion, get going
     κράζω, κράξω and κεκράξομαι, ἔκραξα and ἐκέ-
          κραξα, κέκραγα, ---, ---: cry out,
          scream, call out, screech
     οὐαί: woe! alas!
     σημεῖον, -ου, τό: sign, miracle, portent

(2) ἱερός, -ά, -όν: holy; (neut. subst.) temple
     κινέω (1)
     μέσον: in the middle of, in the midst of

(3) μέσον (2)

41

24. 'Ιδοῦσα δὲ ἡ 'Αρσενῆ τὸ γεγονὸς τοῖς εἰδώλοις
αὐτῆς, καὶ ἐκ τοῦ φοβοῦ __ρίψασα__ ἑαυτὴν εἰς τοὺς πό-
δας τοῦ ἁγίου ἀποστόλου Θωμᾶ __παρεκάλει__ λέγουσα·
Δοῦλε τοῦ θεοῦ τοῦ ζῶντος, ἢ ἄγγελος αὐτοῦ εἶ ἢ
5 ἀπόστολος· ὅτι ἰδοῦ ἐλθόντος σου ἠλευθερώθη ὁ
οἶκός μου ἀπὸ τῆς πλανῆς τῶν εἰδώλων, καὶ ἡ καρδία
μου ἐκαθαρίσθη καὶ πάντα τὰ ἐν ἐμοί.

25. 'Αποκριθεὶς δὲ ὁ ἀπόστολος λέγει αὐτῇ· __Ὦ__
'Αρσενῆ, σήμερόν ἐστι ὁ __καιρὸς__ τοῦ ζητεῖν τὸν θεόν.
10 εἰ θέλεις ζητῆσαι αὐτόν, εὑρήσεις αὐτόν· οὐκ ἔστιν
γὰρ ἀπὸ __μακρόθεν__ σου· οὕτως γὰρ ἔφη εἷς τῶν προφη-
τῶν· 'Εγγίσατέ μοι, λέγει ὁ κύριος, καὶ __ἐγγίσω__ σοι·
καὶ πάλιν· 'Εκ__έκραξαν__ πρὸς κύριον, καὶ αὐτὸς __εἰσ-__

---

(1) ἐγγίζω, ἐγγίσω and ἐγγιῶ, ἤγγισα, ἤγγικα, ---,
            ---: approach, come near
    μακρόθεν: from afar, afar off
    παρακαλέω, ---, παρεκάλεσα, ---, παρεκέκλημαι,
            παρεκλήθην: summon, invite, call upon
            for aid, request, entreat, encourage,
            comfort, exhort
    ῥίπτω and ῥιπτέω, ---, ἔρριψα, ---, ἔρριμμαι,
            ---: throw away, throw down, put away,
            (perf. pass. partic.) put down, laid down

(2) ἐγγίζω (1)
    καιρός, -οῦ, ὁ: time, right time
    κράζω, κράξω and κεκράξομαι, ἔκραξα and ἐκέ-
            κραξα, κέκραγα, ---, ---: cry out,
            scream, call out, screech
    ὦ: O! (before a vocative)

42

<u>ἤκουσεν</u> αὐτούς. ἀκούσασα δὲ ἡ 'Αρσενῆ λέγει· Πι-
στεύω εἰς τὸν κύριον ἡμῶν 'Ιησοῦν Χριστὸν τὸν ἀλη-
θινὸν θεὸν τὸν ὑπὸ τοῦ ἀποστόλου Θωμᾶ κηρυσσόμενον.
26. Καὶ κλείσασα τὴν θύραν τοῦ οἴκου αὐτῆς <u>ἀπεδύ-</u>
5 <u>σατο</u> τὴν <u>στολὴν</u> αὐτῆς καὶ <u>ἐξήνεγκεν</u> ὅσα ἔσχεν χρυ-
σία καὶ <u>ἱμάτια</u> ἀρεστά, καὶ ἔθηκεν αὐτὰ ἔμπροσθεν
τοῦ ἀποστόλου Θωμᾶ καὶ εἶπεν· Κύριε 'Ιησοῦ Χριστέ,
υἱὲ τοῦ θεοῦ τοῦ ζῶντος, ὁ ὑπὸ τοῦ ἁγίου ἀποστόλου
Θωμᾶ καὶ ὑφ' ἡμῶν πάντων δοξαζόμενος, σὺ αὐτὸς οἶ-
10 δας ὅτι πάντα ὅσα ἔσχον ἐν ἁμαρτίᾳ <u>ἐξήνεγκα</u> ἐκ τοῦ
οἴκου ἐνώπιόν σου· καὶ νῦν <u>εἰσάκουσόν</u> με καὶ δέχου
με τὴν σὴν <u>δούλην</u>. Καὶ ἐπιστραφεῖσα πρὸς τὸν Θωμᾶν

43:9 ὑφ': ὑπό

---

(1) ἀποδύομαι, ---, ἀπεδυσάμην, ---, ---, ---:
          strip, strip off, undress
     δούλη, -ης, ἡ: female slave, bondmaid
     εἰσακούω, εἰσακούσομαι, εἰσήκουσα, ---, ---,
          εἰσηκούσθην: listen to, hear, obey
     ἐκφέρω, ἐξοίσω, ἐξήνεγκα, ---, ---, ---:
          carry out, lead out, produce
     ἱμάτιον, -ου, τό: garment, cloak, (pl.)clothing
     στολή, -ῆς, ἡ: long flowing robe

(2) εἰσακούω (1)
     ἐκφέρω (1)

ἔφη· Δοῦλε τοῦ θεοῦ, ἀνάστα, <u>βάπτισόν</u> με ἐν τῷ ὀνό-
ματι Ἰησοῦ Χριστοῦ ὃν κηρύσσεις.

27. Ἀκούσας δὲ ταῦτα ὁ ἀπόστολος ἐδόξασε τὸν θεὸν
καὶ λέγει αὐτῇ· Ὦ Ἀρσενῆ, <u>δούλῃ</u> τοῦ θεοῦ τοῦ
5 ζῶντος, ὅτι πάσας τὰς <u>στολὰς</u> ταύτας καὶ πάντα τὰ
χρυσία ταῦτα <u>ἐξήνεγκας</u>, νῦν οἶδα ὅτι τὸν κύριον,
ὃς οὐκ ἔστιν ἀπὸ <u>μακρόθεν</u>, εὑρήσεις. ἐχάρη δὲ ὁ
ἀπόστολος τοῦ Χριστοῦ Θωμᾶς καὶ <u>ἔκραξεν</u> φωνῇ μεγάλῃ
καὶ εἶπεν· <u>Εὐχαριστῶ</u> σοι, κύριε ὁ μὴ ὢν ἀπὸ μακρό-
10 θεν ἡμῶν, ὁ ἐπιστρέφων τὰς καρδίας τῶν πεπλανημένων

44:1 ἀνάστα: (2nd sing. 2nd aor. act. imperative
of ἀνίστημι) stand up

---

(1) βαπτίζω, βαπτίσω, ἐβάπτισα, ---, βεβάπτισμαι,
ἐβαπτίσθην: baptize
εὐχαριστέω, ---, εὐχαρίστησα, ---, ---, εὐχα-
ριστήθην: be thankful, give thanks, pray

(2) δούλη, -ης, ἡ: female slave, bondmaid
μακρόθεν: from afar, afar off
στολή, -ῆς, ἡ: long flowing robe

(3) ἐκφέρω, ἐξοίσω, ἐξήνεγκα, ---, ---, ---:
carry out, lead out, produce
κράζω, κράξω and κεκράξομαι, ἔκραξα and ἐκέ-
κραξα, κέκραγα, ---, ---: cry out,
scream, call out, screech
μακρόθεν (2)
ὠ: O! (before a vocative)

44

προβάτων· σύ, κύριε, σῶσον τούτους, καὶ δεῖξον

αὐτοῖς σημεῖα καὶ γνώτωσαν τὴν ἀλήθειαν.

28. Καὶ ἀναστὰς ἐβάπτισεν αὐτὴν σὺν παντὶ τῷ λαῷ

αὐτῆς καὶ εὐχαριστήσας καὶ ἁγιάσας ἐδίδαξεν αὐτοὺς

5   τὰ ἅγια μυστήρια καὶ ἐστήριξεν αὐτοὺς ἵνα πιστεύ-

ωσιν καὶ προσεύχωνται ἐν ἁγνῇ καρδίᾳ.

29. Καὶ προσήνεγκαν αὐτῷ πάντας τοὺς ἀσθενεῖς,

καὶ ἐθεράπευσεν αὐτοὺς καὶ πολλὰ δαιμόνια ἐκ τῶν

ἀνθρώπων ἐξέβαλεν. ἐκάθητο δὲ καθ' ἡμέραν ἐν τῇ

45:9 καθ' ἡμέραν: day after day

------

(1) ἀσθενής, -ές: weak, sick
     μυστήριον, -ου, τό: secret, mystery
     προσφέρω, ---, προσήνεγκον and προσήνεγκα,
          προσενήνοχα, ---, προσηνέχθην: bring to,
          offer, present
     στηρίζω, στηρίξω and στηριῶ, ἐστήριξα and
          ἐστήρισα, ---, ἐστήριγμαι, ἐστηρίχθην:
          place firmly, establish, strengthen

(2) βαπτίζω, βαπτίσω, ἐβάπτισα, ---, βεβάπτισμαι,
          ἐβαπτίσθην: baptize
     δαιμόνιον, -ου, τό: divinity, demon, evil
          spirit
     εὐχαριστέω, ---, εὐχαρίστησα, ---, ---, εὐχα-
          ριστήθην: be thankful, give thanks, pray
     σημεῖον, -ου, τό: sign, miracle, portent

(3) κάθημαι, καθήσομαι, ---, ---, ---, ---: sit,
          be seated, sit down

45

πλατείᾳ τῆς πόλεως διδάσκων καὶ λέγων· Δεῦτε πρός
με, ὑμεῖς οἱ ἀσθενεῖς, καὶ θεραπεύσω ὑμᾶς τῷ ὀνό-
ματι τοῦ Χριστοῦ χωρὶς μισθοῦ, καὶ τὴν σὴν λύπην
ἀρῶ. καὶ ἔτρεχε πρὸς αὐτὸν πᾶσα ἡ πόλις ἀπὸ μικροῦ

5 ἕως μεγάλου διὰ τὰ σημεῖα τὰ γενόμενα παρὰ τοῦ ἀπο-
στόλου Θωμᾶ. καὶ ἐθεράπευσε τοὺς ἀσθενεῖς τούτους
καὶ ἦρε τὴν λύπην αὐτῶν.

30. Καὶ μετὰ πολλὰς ἡμέρας ἰδοὺ καὶ Λεύκιος ὁ ἄρ-
χων τῆς πόλεως πάλιν ἦλθεν ἀπὸ τοῦ βασιλέως Κονδη-

10 φόρου, καὶ αὐτοῦ ἐγγίζοντος τῇ πόλει ἐξῆλθεν πᾶν
τὸ πλῆθος τῆς πόλεως πρὸς αὐτόν· ἐδέχοντο γὰρ πάν-
τες καὶ ἤθελον ἰδεῖν αὐτὸν ὄντα ἔτι ἐπὶ τῶν στρατι-

46:12 ἐπί: in command of

(1) λύπη, -ης, ἡ: grief, sorrow, pain
     πλῆθος, -ους, τό: multitude, populace, crowd

(2) ἀσθενής, -ές: weak, sick
     λύπη (1)
     μισθός, οῦ, ὁ: pay, wages, reward, punishment
     χωρίς: without, apart from

(3) ἀσθενής (2)
     ἐγγίζω, ἐγγίσω and ἐγγιῶ, ἤγγισα, ἤγγικα,
     ---, ---: approach, come near
     πλατεῖα, -ας, ἡ: street
     σημεῖον, -ου, τό: sign, miracle, portent

46

ωτῶν. καὶ ἰδόντες αὐτὸν πάντες ἐχάρησαν χάραν με-
γάλην, καὶ ἐγγίσαντος αὐτοῦ τῇ πόλει, ἰδοὺ καὶ ᾿Αρ-
σενῆ μετὰ τοῦ λαοῦ καὶ τῶν γυναικῶν, τῶν δουλῶν
αὐτῆς.

5   31. ᾿Ιδὼν δὲ αὐτὴν μὴ ἔχουσαν ἀρεστὸν <u>ἱμάτιον</u>
Λεύκιος <u>ἐταράχθη</u>· <u>ἀπεδύσατο</u> γὰρ ἡ κυρία τὸν καλὸν
ἱμάτιον καὶ εἶχε κακὴν στολήν· καί φησιν πρὸς ἕνα
τῶν δούλων αὐτοῦ· Πῶς ἔχει ὁ οἶκός μου; ἰδοὺ γὰρ
τὸ πρόσωπον τῆς κυρίας σου οὐ μακάριον, καὶ αὕτη

10   κακὴν στολὴν ἔχει ἐγγίζουσά μοι. <u>ὁ δὲ</u> λέγει αὐτῷ·
Οἱ θεοὶ τὸν οἶκόν σου <u>ηὐλόγησαν</u>. μὴ φόβου.

47:8 Πῶς ἔχει ὁ οἶκός μου;: How is my house? (or)
How are things at home?

---

(1) εὐλογέω, εὐλογήσω, εὐλόγησα and ηὐλόγησα,
      εὐλόγηκα, εὐλόγημαι, εὐλογήθην: praise,
  ὁ δέ, ἡ δέ, τὸ δέ: he, she, it   /bless
  ταράσσω, ---, ἐτάραξα, ---, τετάραγμαι,
      ἐταράχθην: stir up, disturb

(2) ἀποδύομαι, ---, ἀπεδυσάμην, ---, ---, ---:
      strip, strip off, undress
  ἱμάτιον, -ου, τό: garment, cloak, (pl.)
      clothing

(3) δούλη, -ης, ἡ: female slave, bondmaid
  ἱμάτιον (2)
  στολή, -ῆς, ἡ: long flowing robe

47

32. Εἰσελθὼν δὲ εἰς τὴν πόλιν Λεύκιος ἀπῆλθεν κα-
θαρίσασθαι· καὶ πάλιν ἦλθεν εἰς τὸν οἶκον αὐτοῦ,
καὶ ἦλθον πάντες οἱ ἐν τῇ πόλει <u>προσφέρουτες</u> αὐτῷ
δωρεὰς καὶ χαίροντες σὺν αὐτῷ· αὐτὸς δὲ ἐκάθισεν
5 μετ' αὐτῶν δεῖπνον ποιησάντων, καὶ ἦσθιον ὅλην τὴν
ἡμέραν ἐκείνην.

33. Νυκτὸς δὲ γινομένης εἰσῆλθεν καὶ <u>ἀνεκλίθη</u> καὶ
ἐζήτησεν Ἀρσενῆν τὴν γυναῖκα αὐτοῦ. <u>τῆς</u> δὲ ἐλθού-
σης <u>ἐκράτησεν</u> τῆς χειρὸς αὐτῆς καὶ φησιν· Ἀποδυ-
10 σαμένη τὰ ἱμάτιά σου <u>ἀνακλίθητι</u> καὶ αὐτὴ μετ' ἐμοῦ.
ἡ δὲ φησιν· Οὐ δύναμαι ἀνακλιθῆναι μετά σου. δέ-

---

(1) ἀνακλίνω, ἀνακλινῶ, ἀνέκλινα, ---, ---, ἀνε-
κλίθην: lay down, make lie down, (pass.)
lie down, recline
κρατέω, κρατήσω, ἐκράτησα, κεκράτηκα, κεκρά-
τημαι, ---: seize, take hold of, hold
fast

(2) ἀνακλίνω (1)
ὁ δέ, ἡ δέ, τὸ δέ: he, she, it
προσφέρω, ---, προσήνεγκον and προσήνεγκα,
προσενήνοχα, ---, προσηνέχθην: bring to,
offer, present

(3) ἀνακλίνω (2)
ἀποδύομαι, ---, ἀπεδυσάμην, ---, ---, ---:
strip, strip off, undress
ὁ δέ (2)

48

ομαί σου, κύριέ μου, ῥῖψον ἀπό σου τοιαύτην ἐπιθυ-
μίαν.

34. Ἀκούσας δὲ Λεύκιος τοὺς λόγους τούτους ἐτα-
ράχθη καί φησιν· Πόθεν οἱ λόγοι οὗτοι, ὦ Ἀρσενῆ;
5   οὐκ εἰσιν ἐκ τῶν ἡμετέρων θεῶν οὐδὲ ἐκ σοῦ· οὐαί
σοι δέ, ὅτι ἐπλανήθης ἐκ τοῦ δούλου τοῦ λέγοντος
ὅτι ἰατρός ἐστιν.

35. Ἡ δὲ ὑψώσασα τὴν φωνὴν αὐτῆς ἔφη· Μὴ λέγε
κατὰ τοῦ δούλου τοῦ θεοῦ τοιούτους λόγους· πάντες
10 γὰρ οἱ λέγοντες ἰατροὶ εἶναι λαμβάνουσιν μισθὸν
παρὰ τῶν ἀσθενῶν. ἀλλ' οὗτος θεραπεύει τοὺς ἀσθε-
νεῖς χωρὶς μισθοῦ. καὶ ἰατρός ἐστιν ψυχῆς τε καὶ

---

(1)   οὐδέ: and not, also not, not even
      τε καί: not only ... but also, both ... and
      ὑψόω, ὑψώσω, ὕψωσα, ---, ---, ὑψώθην: lift
          up, raise up, exalt

(2)   οὐαί: woe! alas!
      ῥίπτω and ῥιπτέω, ---, ἔρριψα, ---, ἔρριμμαι,
          ---: throw away, throw down, put away,
          (perf. pass. partic.) put down, laid down
      ταράσσω, ---, ἐτάραξα, ---, τετάραγμαι,
          ἐταράχθην: stir up, disturb

(3)   μισθός, -οῦ, ὁ: pay, wages, reward, punish-
          ment
      πόθεν: whence? from what place?
      τοιοῦτος, τοιαύτη, τοιοῦτο(ν): such as this
      χωρίς: without, apart from

σώματος. μὴ λέγε οὖν κατ' αὐτοῦ τι, ἵνα μὴ ἐπί σοι
ὀργισθῇ ὁ θεὸς αὐτοῦ· ἀλλὰ δεήθητι τοῦ ἰατροῦ τού-
του μᾶλλον, ἵνα θεραπεύσῃ τὴν ψυχήν σου τε_καὶ τὸ
σῶμά σου.

5   36. Ὁ δὲ Λεύκιος ὀργισθεὶς λέγει πρὸς αὐτήν· εἰ
ἰατρὸς ᾖ, λυτρώσεται ἑαυτὸν ἐκ τῶν βασάνων ὧν μέλ-
λω προσενεγκεῖν αὐτῷ. ｜καὶ κατὰ τὴν ἐντολὴν τοῦ ἄρ-
χοντος σπεύσαντες οἱ στρατιῶται ἔστησαν τὸν ἀπόστο-
λον ἐνώπιον τοῦ Λευκίου δεδεμένον, καὶ ὁ Λεύκιός
10 φησιν· Λέγε, κατάρατε, ποῦ ἐστι τὰ ἱερὰ καὶ βασί-
λεια ἃ ἐνετειλάμην σοι κτίσαι τῷ βασιλεῖ; καὶ ποῦ

---

(1) βάσανος, -ου, ἡ: torture, torment, acute
          pain
     κατάρατος, -ον: cursed, accursed, abominable
          (-NT)

(2) κτίζω, ---, ἔκτισα, ---, ἔκτισμαι, ἐκτίσθην:
          create, make
     τε καί: not only ... but also, both ... and

(3) ἱερός, -ά, -όν: holy, (neut. subst.) temple
     λυτρόομαι, λυτρώσομαι, ἐλυτρωσάμην, ---, ---,
          ---: release by payment of a ransom,
          redeem, let go free, liberate
     προσφέρω, ---, προσήνεγκον and προσήνεγκα,
          προσενήνοχα, ---, προσηνέχθην: bring
          to, offer, present

εἰσιν οἱ μόδιοι καὶ τὰ πλοῖα; καὶ ποῦ εἰσιν τὰ
ἄροτρα;

37. Ἀποκριθεὶς δὲ ὁ Θωμᾶς ἔφη· Ἅ ἔφην πάντα
ἐπλήρωσα ὅτι ὁ Χριστὸς ἐμὲ ἐστήρισε. καὶ ὁ Λεύκιος

5 ἔφη· Δοῦλε κατάρατε, μετὰ τὰς βασάνους σου ἐρεῖς
μοι τὴν ἀλήθειαν. λέγει δὲ αὐτῷ ὁ ἀπόστολος· Νῦν
οἶδα ὅτι ἐπέγνως οὐδὲν τῆς ἀληθείας τοῦ θεοῦ, οὐδὲ
οἶδας ὅτι τὰ ἱερά τε καὶ βασίλεια αἱ ψυχαί εἰσιν
ἃς ἔκτισα βαπτίζων ἀνθρώπους καὶ ἃς προσέφερον τῷ

10 Χριστῷ. οὐδὲ οἶδας ὅτι τὰ ἄροτρά εἰσιν οἱ πλάνην
ἀπὸ τῶν καρδιῶν τῶν ἀνθρώπων αἴροντες καὶ ἐπιστρέ-
φοντες αὐτοὺς ἐκ τῶν εἰδώλων πρὸς τὴν γνῶσιν τοῦ

---

(2) ἄροτρον, -ου, τό: plow
βάσανος, -ου, ἡ: torture, torment, acute pain
κατάρατος, -ον: cursed, accursed, abominable
μόδιος, -ου, ὁ: peck, half bushel   ∠(-NT)
οὐδέ: and not, also not, not even
πλοῖον, -ου, τό: ship, boat
στηρίζω, στηρίξω and στηριῶ, ἐστήριξα and
    ἐστήρισα, ---, ἐστήριγμαι, ἐστηρίχθην:
    place firmly, establish, strengthen

(3) ἄροτρον (2)
βαπτίζω, βαπτίσω, ἐβάπτισα, ---, βεβάπτισμαι,
    ἐβαπτίσθην: baptize
κτίζω, ---, ἔκτισα, ---, ἔκτισμαι, ἐκτίσθην:
    create, make
οὐδέ (2)
τε καί: not only ... but also, both ... and

51

ἀληθινοῦ θεοῦ. ἰατρός εἰμι διὰ τῆς δυνάμεως τοῦ
Χριστοῦ τῆς θεραπεύσης πᾶσαν <u>νόσον</u> ἐν τῷ προσερχο-
μένῳ λαῷ. νῦν οὖν ἐπλήρωσα πάντα, ἱερά τε καὶ
βασίλεια, πλοῖά τε καὶ μοδίους καὶ ἄροτρα.

5   38. Ὀργισθεὶς οὖν ὁ Λεύκιος λέγει· Ὦ δοῦλε κα-
τάρατε, λέγεις ἔτι τοιαῦτα; ἀλλὰ μετὰ τὰς βασάνους
σου οὐ θελήσεις <u>μνησθῆναι</u> ὅτι εἶπες οὕτως. τότε
πέμπει στρατιώτας καὶ συνάγουσι πάντας τοὺς <u>βυρσεῖς</u>
τῆς πόλεως καὶ φησιν πρὸς αὐτούς· Λάβετε τὸν μάγον

10 καὶ ἀποκόπτετε τὸ <u>δέρμα</u> αὐτοῦ ἕως ἐνεγκῇ ὅσας βασά-
νους βούλομαι.

52:4 πλοῖά τε καὶ μοδίους (But Thomas does not
explain the symbolism of the boats and the half
bushels.)

---

(1) βυρσεύς, -έως, ὁ: tanner
     δέρμα, -ατος, τό: skin

(2) μιμνῆσκομαι, ---, ---, ---, μέμνημαι, ἐμνή-
        σθην: remember
     νόσος, -ου, ἡ: disease, sickness

(3) βάσανος, -ου, ἡ: torture, torment, acute pain
     βούλομαι, ---, ---, ---, ---, ἐβουλήθην: wish,
        desire
     κατάρατος, -ον: cursed, accursed, abominable
     μόδιος, -ου, ὁ: peck, half bushel   ∠(-NT)
     πλοῖον, -ου, τό: ship, boat

39. 'Ακούσαντες δὲ οἱ βυρσεῖς λέγουσιν πρὸς ἑαυ-
τούς· Οὐαὶ ἡμῖν· πῶς ποιήσωμέν τι κατὰ τοῦ ἀνδρὸς
τοῦ δικαίου τούτου, τοῦ θεραπεύοντος πᾶσαν νόσον
ἐν τῷ λαῷ χωρὶς μισθοῦ; ἐὰν γὰρ ποιήσωμέν τι κατ'
5   αὐτοῦ, ὀργισθήσεται ἡμῖν ὁ θεὸς αὐτοῦ καὶ ἀποστελεῖ
πῦρ ἐκ τοῦ οὐρανοῦ καὶ ἀποκτενεῖ ἡμᾶς. καὶ πάλιν
ἐὰν μὴ πειθώμεθα τῷ Λευκίῳ, οὗτος κακῷ θανάτῳ παρα-
δώσει ἡμᾶς, πάντας τοὺς βυρσεῖς τῆς πόλεως.
40. Τότε ὁ ἀπόστολος τοῦ Χριστοῦ Θωμᾶς λέγει πρὸς
0   αὐτούς· 'Αναστάντες ποιήσατε τὴν ἐντολὴν τοῦ ἄρ-
χοντος ὑμῶν. ἀναστάντες δὲ ἦραν τὸ δέρμα αὐτοῦ
πάσχοντες ἐν ταῖς καρδίαις αὐτῶν. τότε ὁ ἀπόστολος
τοῦ Χριστοῦ Θωμᾶς ἐκτείνας τὰς χεῖρας αὐτοῦ εἰς τὸν
οὐρανὸν εἶπεν· Κύριε 'Ιησοῦ Χριστέ, ἄκουσόν μου

---

(2)   βυρσεύς, -έως, ὁ: tanner
      δέρμα, -ατος, τό: skin
      ἐκτείνω, ἐκτενῶ, ἐξέτεινα, ---, ---, ---:
            stretch out
      παραδίδωμι, παραδώσω, παρέδωκα, παραδέδωκα,
            παραδέδομαι, παρεδόθην: hand over, hand
            down, surrender

(3)   βυρσεύς (2)
      νόσος, -ου, ἡ: disease, sickness
      οὐαί: woe! alas!
      πάσχω, πείσομαι, ἔπαθον, πέπονθα, ---, ---:
            experience, suffer

53

ἐν τῇ ὥρᾳ ταύτῃ καὶ μνήσθητί μου, δέσποτα.

41. Ἡ δὲ Ἀρσενὴ ἀκούσασα τὸ γεγονός, δραμοῦσα
ἐπὶ τὸν ὑψηλὸν τόπον τοῦ οἴκου αὐτῆς ἔρριψεν ἑαυ-
τὴν ἐπὶ τὴν γῆν καὶ ἀπέθανεν. θεωρήσας δὲ αὐτὴν
5 Λεύκιος ὁ ἡγεμὼν ἔφη· Ἰδοὺ διά σε ἀπέθανεν ἡ ἐμὴ
γυνή. ἀλλὰ <u>μὰ</u> τοὺς θεοὺς μέλλω πᾶσαν βάσανον κι-
νῆσαι κατά σου ἕως οὗ ἐμφανίσω τὰ ἔργα σου, καὶ
μετὰ ταῦτα καὶ θανάτῳ σε φοβερῷ παραδώσω.

42. Ὁ δὲ πατὴρ καὶ ἡ μήτηρ τῆς Ἀρσενῆς, μαθόντες
10 ὅτι ἀπέθανεν ἡ ἀγαπητὴ <u>θυγάτηρ</u>, ἔδραμον καὶ θεωρή-
σαντες αὐτὴν ἐπὶ τῇ γῇ <u>ἔκλαυσαν</u> πολύ. ἔρχονται δὲ
πρὸς τὸν ἅγιον Θωμᾶν λέγοντες αὐτῷ· Δοῦλε τοῦ θεοῦ,

---

(1) θυγάτηρ, θυγατρός, ἡ: daughter
     κλαίω, κλαύσω and κλαύσομαι, ἔκλαυσα, ---,
          ---, ---: weep, cry, bewail
     μά: (in an oath or asseveration) by (-NT)

(3) κινέω, κινήσω, ἐκίνησα, ---, ---, ἐκινήθην:
          move, remove, set in motion, get going
     μιμνήσκομαι, ---, ---, ---, μέμνημαι, ἐμνήσθην:
          remember
     παραδίδωμι, παραδώσω, παρέδωκα, παραδέδωκα,
          παραδέδομαι, παρεδόθην: hand over, hand
          down, surrender
     ῥίπτω and ῥιπτέω, ---, ἔρριψα, ---, ἔρριμμαι,
          ---: throw away, throw down, put away,
          (perf. pass. partic.) put down, laid down

ὑπὲρ σου ἀπέθανεν ἡ <u>θυγατὴρ</u> ἡμῶν· ἀλλὰ ἐλπίζομεν
ὅτι διὰ τῆς τοῦ Χριστοῦ δυνάμεως, ὑπὲρ οὗ καὶ ἀπέ-
θανεν, ἀναστήσεις αὐτήν. ἀποκριθεὶς δὲ ὁ ἀπόστολος
λέγει αὐτοῖς· Μὴ <u>λυπεῖσθε μηδὲ κλαίετε</u>, ὅτι οὐκ
5 <u>ἀπέθανεν</u>, ἀλλὰ ζῇ ἐν τῷ ὀνόματι τοῦ Χριστοῦ.

43. Ἀποκριθεὶς δὲ Λεύκιος λέγει τῷ Θωμᾷ· Τί λέ-
γουσίν σοι αἱ <u>γοητεῖαί</u> σου, κατάρατε ἄνθρωπε; λέ-
γει Θωμᾶς· Ἐμοὶ μὲν οὔκ εἰσι <u>γοητεῖαι</u>, μὴ γένοι-
το, τοῦτο δὲ ἐμοὶ μόνον τὸ ἐν τῷ ὀνόματι τοῦ Χρι-
10 στοῦ μου ποιεῖν ὅσα καὶ βούληται. ὁ δὲ Λεύκιος·
<u>Μὰ</u> τοὺς ἐμοὺς θεοὺς μὴ νομίσῃς ὅτι λυτρωθήσῃ ἐκ

55:6 Τί λέγουσίν σοι αἱ γοητεῖαί σου: What are
your sorceries saying to you? (What do you mean?
What nonsense are you talking?)

---

(1) γοητεία, -ας, ἡ: witchcraft, sorcery (-NT)
    λυπέω, ---, ἐλύπησα, λελύπηκα, ---, ἐλυπήθην:
        grieve, cause grief, distress
    μηδέ: and not, but not

(2) γοητεία (1)
    θυγατήρ, θυγατρός, ἡ: daughter
    κλαίω, κλαύσω and κλαύσομαι, ἔκλαυσα, ---,
        ---, ---: weep, cry, bewail
    μά: (in an oath or asseveration) by (-NT)

(3) νομίζω, ---, ἐνόμισα, ---, ---, ἐνομίσθην:
        think, believe, consider

55

τῶν βασάνων ὧν μέλλω προσφέρειν σοι ἕνεχα τῶν γοη-
τειῶν σου πάντων. ὁ ἅγιος εἶπεν· Ποίει ὅσα βούλῃ.
τότε ἐντέλλεται ὁ ἡγεμών· Φέρετε οἶνον καὶ βάλλετε
ἐπάνω τοῦ σώματος τούτου.

5 44. Τότε ἐποίησαν οἱ στρατιῶται ὡς ἐνετείλατο αὐ-
τοῖς. ὁ δὲ ἀπόστολος τοῦ Χριστοῦ Θωμᾶς βλέψας εἰς
τὸν οὐρανὸν εἶπεν· Κύριε 'Ιησοῦ Χριστέ, βοήθησόν
μοι ἐν τῇ ὥρᾳ ταύτῃ, ὅτι εἰσῆλθεν ἡ βάσανος αὕτη
ἕως τοῦ αἵματός μου. εἰσάκουσόν μου, κύριε, καὶ
10 ἐλέησον τὸν δοῦλόν σου καὶ ἐλευθέρευσόν με ἐκ τῶν
βασάνων τούτων, ὅτι διὰ σε ταῦτα πάντα πάσχω ὅπως
ἐπιστρέψω τὸν λαὸν τοῦτον εἰς τὴν γνῶσίν σου. σὺ
γὰρ ὁρᾷς ὅτι πολλὰς βασάνους κινεῖ κατ' ἐμοῦ ὁ πο-
νηρὸς οὗτος· ἀλλὰ δέομαί σου, πάντα τὰ ἔργα αὐτοῦ
15 ἀπόλεσον τῇ ἰσχυρᾷ σου χειρί. καὶ μὴ μνησθῇς ἡμῶν

---

(1) βοηθέω, ---, ἐβοήθησα, ---, ---, ---: help,
      come to help
    ἕνεχα: (with gen.) on account of, because of,
      for the sake of

(2) ἐπάνω: above, upon, over, more than

(3) γοητεία, -ας, ἡ: witchcraft, sorcery (-NT)
    εἰσαχούω, εἰσαχούσομαι, εἰσήχουσα, ---, ---,
      εἰσηχούσθην: listen to, hear, obey

56

ἀνομιῶν ὅτε εἶπον ἐλθόντος σου ἐν τῷ μέσῳ τῶν μα-

θητῶν ὅτι 'Ἐὰν μὴ ἴδω ἐν ταῖς χερσὶν αὐτοῦ τὸν τύ-

πον τῶν ἥλων μηδὲ βάλλω τὸ δάκτυλόν μου εἰς τὸν

τύπον τῶν ἥλων μηδὲ βάλλω τὴν χεῖρά μου εἰς τὴν

5   πλευρὰν αὐτοῦ, οὐ μὴ πιστεύω. ἀλλ' ὅτε εἶδόν σε,

οὐκ ἔβαλον τὸν δάκτυλόν μου εἰς τὸν τύπον τῶν ἥλων

οὐδὲ τὴν χεῖρα ἢ τὸν δάκτυλόν μου εἰς τὴν πλευράν,

τὴν ἁγίαν πλευράν σου. νῦν βοήθησόν μοι· εὐθέως

57:2 ὅτι (Not to be translated since it introduces
a direct quotation.)

---

(1)   δάκτυλος, -ου, ὁ: finger
      εὐθέως: immediately
      ἥλος, -ου, ὁ: nail
      πλευρά, -ᾶς, ἡ: side (part of the body)
      τύπος, -ου, ὁ: impression, mark, image,
            pattern, model
(2)   βοηθέω, ---, ἐβοήθησα, ---, ---, ---: help,
            come to help
      δάκτυλος (1)
      ἥλος (1)
      μηδέ: and not, but not
      πλευρά (1)
      τύπος (1)

(3)   δάκτυλος (2)
      ἥλος (2)
      μηδέ (2)
      πλευρά (2)
      τύπος (2)

βοήθησόν μοι· ἰδοὺ γὰρ ἕνεκα τῆς ἀνομίας μου νῦν
τὸ δέρμα τῆς σαρκός μου ἀπώλεσα καὶ ἄλλας πολλὰς
βασάνους βούλεται ὁ Λεύκιος κινεῖν κατ' ἐμοῦ. ἀλλ'
οἶδα, δέσποτα, ὅτι ἐγγὺς ἐμοῦ εἶ, καὶ ἰσχύσω διὰ
5 τοῦ ὀνόματός σου τοῦ ἁγίου, ὁ εὐλογούμενος εἰς
τοὺς αἰῶνας· ἀμήν.

45. Καὶ τὸν θεὸν εὐλογήσαντος αὐτοῦ, ἐλεήσας ὁ κύ-
ριος ἐφάνη λέγων αὐτῷ· Μὴ φοβοῦ καὶ ἴσχυε, ὁ ἐκλε-
κτός μου Θωμᾶς, ἐν πάσῃ τῇ θλίψει σου· ἀμὴν γὰρ
10 λέγω σοι ὅτι μετά σου ἔσομαι ἐπὶ πᾶσιν οἷς μέλλεις
παθεῖν· καὶ νῦν ἀνάστα, ὅτι ὁ μισθός σου πολύς
ἐστιν ἔμπροσθεν τοῦ πατρός μου τοῦ ἐν οὐρανοῖς.
μνήσθητι δὲ τὸν λόγον ὃν εἶπον ὑμῖν, τοῖς δώδεκα

---

(2) ἀμήν: truly, amen, so be it
ἕνεκα: (with gen.) on account of, because of,
    for the sake of
εὐλογέω, εὐλογήσω, εὐλόγησα and ηὐλόγησα, εὐ-
    λόγηκα, εὐλόγημαι, εὐλογήθην: praise,
    bless, cause to prosper

(3) ἀμήν (2)
βοηθέω, ---, ἐβοήθησα, ---, ---, ---: help,
    come to help
δέρμα, -ατος, τό: skin
δώδεκα: twelve
εὐλογέω (2)

58

μαθηταῖς, ὅτι 'Εν τῷ ὀνόματί μου δαιμόνια ἐκβαλεῖτε, πονηρὰ θηρία ἀρεῖτε, καὶ ἐάν τι πονηρὸν πίητε, οὐ μὴ ὑμᾶς ἀποκτενεῖ. ἐπὶ ἀσθενεῖς χεῖρας ἐπιθήσετε καὶ θεραπευθήσονται. ταῦτα δὲ πάντα ἐν τῷ ἐμῷ

5 ὀνόματι ποίει, Θωμᾶ, καὶ μὴ φόβου. ὅτε γὰρ ἐβάπτισας Λεύκιον, πορεύου εἰς Κεντηρὰν τὴν πόλιν· ὅπως καὶ αὐτοῖς κηρύξῃς τὸ εὐαγγέλιόν μου καὶ λυτρώσῃς τὸν λαὸν τῆς Κεντηρᾶς ἐκ τῆς τοῦ διαβόλου πλάνης· ὅτι δι' αὐτοὺς καὶ ἔδωκα τὸ αἷμά μου ἐπὶ τοῦ σταυ-

10 ροῦ.

46. Ταῦτα δὲ εἰπών, θεραπεύσας τὸν Θωμᾶν, ἀσπασάμενος αὐτὸν ὁ 'Ιησοῦς ἀνελήμφθη εἰς τὸν οὐρανόν.

59:1 ὅτι (See p. 57:2.)

---

(1) Κεντηρά, -ᾶς, ἡ: Kentera (-NT)

(2) ἀναλαμβάνω, ---, ἀνέλαβον, ἀνείληφα, ---,
        ἀνελήμφθην: take up, take up to carry,
        take along, adopt
    Κεντηρά (1)

(3) ἀσπάζομαι, ---, ἠσπασάμην, ---, ---, ---:
        greet, welcome, take leave of
    δαιμόνιον, -ου, τό: divinity, demon, evil
        spirit

ὁ δὲ ἅγιος ἀπόστολος ἀναστὰς ἦλθε πρὸς 'Αρσενῆν τὴν
γυναῖκα Λευκίου ἔτι νεκρὰν οὖσαν καὶ ἔρριψεν τὸ
δέρμα αὐτοῦ ἐπάνω αὐτῆς λέγων· 'Ανάστα ἐκ τῶν νε-
κρῶν, δούλη τοῦ ἀληθινοῦ θεοῦ· ὅτι οἱ πιστεύοντες
5 ἐπὶ τὸν κύριον ἡμῶν 'Ιησοῦν Χριστὸν οὐκ ἀποθνήσκου-
σιν ἀλλὰ ζῶσιν. καὶ εὐθέως θεωρήσασα τὸν ἀπόστολον
ἐπάνω αὐτῆς ἔρριψεν ἑαυτὴν εἰς τοὺς πόδας αὐτοῦ λέ-
γουσα· Νῦν οἶδα ἀληθῶς, ἀπόστολε τοῦ ἀληθινοῦ θεοῦ
ἡμῶν, ὅτι ἐκ μεγάλης πλάνης πάντες ἠλευθερώθημεν οἱ
10 βαπτισθέντες καὶ εἰς ζωὴν αἰώνιον ἤχθημεν· πάντες
γὰρ οἱ πρὸ καιροῦ ἀποθανόντες ἀγαγόντες εἰς τὴν τῶν
εἰδώλων πλάνην κόλασιν τὴν μετὰ τῶν δαιμονίων ἔχου-
σιν. ὅσοι δὲ εἰς τὸν Χριστὸν ἐβαπτίσθησαν, φυλα-
χθήσονται ἐν ταῖς αἰωνίαις μοναῖς.
15 47. Θεασάμενος δὲ Λεύκιος τὴν γυναῖκα αὐτοῦ ἐγερ-

---

(1) ἐγείρω, ἐγερῶ, ἤγειρα, ---, ἐγήγερμαι, ἠγέρ-
        θην: awake, raise; (pass.) wake up
    νεκρός, -ά, -όν: dead, lifeless

(2) εὐθέως: immediately
    νεκρός (1)

(3) ἐπάνω: above, upon, over, more than
    καιρός, -οῦ, ὁ: time, right time

60

θεῖσαν ἐκ τῶν νεκρῶν, κρατήσας τοὺς πόδας τοῦ ἀπο-
στόλου εἶπεν· ῎Αφες μοι, δοῦλε τοῦ θεοῦ, ὅσα κακὰ
ἐποίησα ἐν ἁμαρτίᾳ εἰς σέ, καὶ μὴ ἀποδώσῃς μοι ἕνε-
κα τούτων. ὁ δὲ ἀπόστολος τοῦ Χριστοῦ θεωρήσας τὴν

5   πίστιν αὐτοῦ, ὅτι ἐκ καλῆς καρδίας προσῆλθεν, κρα-
τήσας αὐτοῦ τῆς χειρὸς ἤγειρεν λέγων· ᾿Ανάστα·
σήμερον γὰρ χαρὰ γίνεται ἐν οὐρανῷ ἐπὶ τῇ μετανοίᾳ
τῇ σῇ· λέγει γὰρ ὁ σωτὴρ ὅτι Τὸν ἐρχόμενον πρός
με οὐ μὴ ἐκβάλω.

10   48. Καὶ ἐκείνῃ τῇ ὥρᾳ ἐβάπτισεν αὐτὸν καὶ προσέ-

61:8 ὅτι (See p. 57:2.)

---

(1) ἀποδίδωμι, ἀποδώσω, ἀπέδωκα, ---, ---, ἀπεδό-
     θην: give away, give up, give back,
     reward, recompense
     προστάσσω, ---, προσέταξα, ---, προστέταγμαι,
     προσετάχθην and προσετάγην: command,
     order, appoint

(2) ἐγείρω, ἐγερῶ, ἤγειρα, ---, ἐγήγερμαι, ἠγέρ-
     θην: awake, raise; (pass.) wake up
     κρατέω, κρατήσω, ἐκράτησα, κεκράτηκα, κεκρά-
     τημαι, ---: seize, take hold of, hold
     fast

(3) ἕνεκα: (with gen.) on account of, because of,
     for the sake of
     κρατέω (2)
     νεκρός, -ά, -όν: dead, lifeless

<u>ταξεν</u> πρεσβύτερον· ἐποίησεν δὲ καὶ <u>διακόνους</u> καὶ
ἐδίδαξεν αὐτοὺς τὰ ἅγια <u>μυστήρια</u>· καὶ ποιήσας αὐ-
τοῖς <u>ἐκκλησίαν</u> καὶ λαβὼν τὸ δέρμα αὐτοῦ <u>ἀνεχώρησεν</u>
ἀπὸ τῆς πόλεως ἐκείνης καὶ ἀπῆλθεν εἰς Κεντηρὰν
5   τὴν πόλιν εἰς ἣν <u>προσέταξεν</u> αὐτῷ ἐλθεῖν κύριος ὁ
θεός.

49. Καὶ εἰσερχομένου αὐτοῦ εἰς τὴν πόλιν, ἔβλεψε
<u>γέροντα</u> κλαίοντα. ἐγγίσας δὲ αὐτῷ ὁ Θωμᾶς λέγει
αὐτῷ· Διὰ τί κλαίεις οὕτως; λέγει αὐτῷ ὁ γέρων·

62:1 This appointment seems to have been prompted
more by Leukios' political position than by his
attainment of probationary approval.

---

(1) ἀναχωρέω, ---, ἀνεχώρησα, ἀναχεχώρηκα, ---,
        ---: return, withdraw, retire
    διάκονος, -ου, ὁ or ἡ: servant, deacon
    ἐκκλησία, -ας, ἡ: assembly, congregation,
        church

(2) γέρων, -οντος, ὁ: old man
    μυστήριον, -ου, τό: secret, mystery
    προστάσσω, ---, προσέταξα, ---, προστέταγμαι,
        προσετάχθην and προσετάγην: command,
        order, appoint

(3) γέρων (2)
    Κεντηρά, -ᾶς, ἡ: Kentera (-NT)
    κλαίω, κλαύσω and κλαύσομαι, ἔκλαυσα, ---,
        ---, ---: weep, cry, bewail

Ἀναχώρησον ἀπ' ἐμοῦ, ἀδελφέ, ἀρχεῖ μοι γὰρ ἡ θλῖ-

ψίς μου. λυπούμενος δὲ πολὺ ὁ Θωμᾶς λέγει αὐτῷ·

Παρακαλῶ σε, πάτερ, ὁμολόγησόν μοι τί ἔχεις· τάχα

ἀρεῖ ὁ κύριός μου Ἰησοῦς Χριστὸς τὴν θλῖψιν ἐκ

5   τῆς καρδίας σου.

50. Ἀποκριθεὶς δὲ ὁ γέρων λέγει αὐτῷ· Ἐγὼ ἔσχον

υἱοὺς ἕξ· καὶ ἐμνηστευσάμην τῷ μείζονι ἐκ τῶν ἕξ

63:3 τί ἔχεις; : what is the matter with you?
63:7 τῷ μείζονι ἐκ τῶν ἕξ...: the oldest of the
six. (In Hellenistic Greek the comparative form
usually replaces the superlative. Compare I Cor.
13:13.)

---

(1) ἀρκέω, ---, ἤρκεσα, ---, ---, ἠρκέσθην: be
        enough, (pass.) be satisfied, be contented
    ἕξ: six
    μνηστεύω, ---, ἐμνηστευσάμην, ---, ἐμνήστευ-
        μαι, ἐμνηστεύθην: (act.) court, woo,
        seek in marriage, espouse; (mid.) cause
        (someone) to be engaged to (someone
        else); (pass.) be betrothed, be courted

(2) ἀναχωρέω, ---, ἀνεχώρησα, ἀναχεχώρηκα, ---,
        ---: return, withdraw, retire
    ἕξ (1)
    λυπέω, ---, ἐλύπησα, λελύπηκα, ---, ἐλυπήθην:
        grieve, cause grief, distress
    παρακαλέω, ---, παρεκάλεσα, ---, παρακέκλημαι,
        παρεκλήθην: summon, invite, call upon
        for aid, request, entreat, encourage,
        comfort, exhort

63

τὴν θυγατέρα τοῦ ἄρχοντος. ὡς δὲ ἡτοίμασα τοὺς
γάμους, εἶπέ μοι ὁ υἱός μου· Πάτερ, φανερούσθω
σοι ὅτι τῆς θυγατρὸς μνηστευθείσης μοι οἱ γάμοι
οὐ τελειωθήσονται. ἀρκεῖ μοι ἡ πονηρὰ τοῦ βίου
5 τούτου ἐπιθυμία ἥ μοι ἕως σήμερόν ἐστιν.

51. Ἀκούσας οὖν ἐγὼ ταῦτα εἶπον πρὸς αὐτόν· Τέ-
κνον, μὴ λυπήσῃ· ἐγὼ γὰρ ἐποίησα πολλὰ ἵνα καλῶς
τοὺς γάμους ὑμῶν τελειώσω. ἐκεῖνος δέ φησι· Μὰ
τὸν Ἰησοῦν μου τὸν ἀληθινὸν θεὸν ἐάν με ἀναγκάσῃς
10 λαβεῖν τὴν γυναῖκα ταύτην τὴν μνηστευθεῖσάν μοι,

---

(1) ἀναγκάζω, ---, ἠνάγκασα, ---, ---, ἠναγκάσθην:
    compel, force
    γάμος, -ου, ὁ: wedding banquet, marriage

(2) ἀρκέω, ---, ἤρκεσα, ---, ---, ἠρκέσθην: be
    enough, (pass.) be satisfied, be contented
    γάμος (1)
    καλῶς: well, nobly, in an excellent way
    μνηστεύω, ---, ἐμνηστευσάμην, ---, ἐμνήστευμαι,
    ἐμνηστεύθην: (act.) court, woo, seek in
    marriage, espouse; (mid.) cause (someone)
    to be engaged to (someone else); (pass.)
    be betrothed, be courted

(3) γάμος (2)
    θυγατήρ, θυγατρός, ἡ: daughter
    λυπέω, ---, ἐλύπησα, λελύπηκα, ---, ἐλυπήθην:
    grieve, cause grief, distress
    μά: (in an oath or asseveration) by (-NT)
    μνηστεύω (2)

οὐ θεωρήσεις τὸ πρόσωπόν μου τοῦ μείζονος τῶν ἓξ
υἱῶν πάλιν εἰς τὸν αἰῶνα. ἐγὼ δὲ εἶπον· Καὶ τί
τοῦτο, τέκνον; μὴ ἐτάραξέν τις τὴν καρδίαν σου ἢ
μὴ καθ' ὕπνους τι ἐθεάσω;

5   52. Ὁ δὲ εἶπέν μοι· Ἄκουσον, πάτερ· τῇ νυκτὶ
ταύτῃ ἦλθε πρός με καθ' ὕπνους ἀνὴρ οὕτω θαυμάσιος
ὥστε μηδένα τῶν ἐπὶ τῆς γῆς εἶναι ὅμοιον αὐτῷ·
εἶχεν δὲ καὶ καλὸν στέφανον ἐπὶ τῆς κεφαλῆς αὐτοῦ
καὶ καλὸν ῥάβδον ἐν τῇ δεξιᾷ αὐτοῦ χειρί, καὶ εἶπε

10 πρός με καθ' ὕπνους· Σοὶ λέγω, νεανίσκε, μὴ ἀκού-
σῃς τοῦ πατρός σου καὶ μὴ λάβῃς γυναῖκα, ἀλλὰ φύ-
λαξον σεαυτὸν ἅγνον, ἵνα γένῃ διάκονός μου καὶ κε-
φαλὴ τῆς ἐκκλησίας μου. ἰδοὺ γὰρ Θωμᾶς ὁ ἀπόστο-

---

(1) στέφανος, -ου, ὁ: wreath, crown, prize,
         reward
     ὕπνος, -ου, ὁ: sleep

(2) διάκονος, -ου, ὁ or ἡ: servant, deacon
     ἐκκλησία, -ας, ἡ: assembly, congregation,
         church
     ὕπνος (1)

(3) καθ': κατά
     ταράσσω, ---, ἐτάραξα, ---, τετάραγμαι, ἐτα-
         ράχθην: stir up, disturb
     ὕπνος (2)

65

λός μου ἔρχεται ἐπὶ τὴν πόλιν ταύτην, καὶ αὐτός σε
διδάξει τὴν <u>σφραγῖδα</u> τοῦ σώματος καὶ τοῦ αἵματός
μου, ὅτι θεὸς ὢν ἐγενόμην ἄνθρωπος δι' ὑμᾶς. ἰδοὺ
ὁρᾷς τὸν <u>στέφανόν</u> μου, τὸν στέφανον τῆς νικῆς μου.

5 καὶ <u>ἐκτείνας</u> τὴν χεῖρα αὐτοῦ εὐλόγησέ με καὶ <u>ἀνε-</u>
<u>λήμφθη</u> εἰς τοὺς οὐρανούς. <u>παρακαλῶ</u> σε οὖν, πάτερ,
μὴ <u>ἀναγκάσῃς</u> με, ἐὰν γὰρ <u>ἀναγκάσῃς</u> με, ἀποθανοῦμαι.
53. Καὶ ἀκούσας ἐγὼ οὐδὲν εἶπον, ἐνεφάνισα δὲ ταῦ-
τα τῷ ἄρχοντι τῷ ἔχοντι τὴν θυγατέρα· ὁ δὲ σπεύσας

10 ἀνάγγειλε τῷ βασιλεῖ· ὁ δὲ βασιλεὺς ἔδωκε αὐτῷ

---

(1) σφραγίς, -ίδος, ἡ: seal, signet

(2) ἀναγκάζω, ---, ἠνάγκασα, ---, ---, ἠναγκάσθην:
     compel, force
    στέφανος, -ου, ὁ: wreath, crown, prize, reward

(3) ἀναγκάζω (2)
    ἀναλαμβάνω, ---, ἀνέλαβον, ἀνείληφα, ---,
        ἀνελήμφθην: take up, take up to carry,
        take along, adopt
    ἐκτείνω, ἐκτενῶ, ἐξέτεινα, ---, ---, ---:
        stretch out
    παρακαλέω, ---, παρεκάλεσα, ---, παρακέκλημαι,
        παρεκλήθην: summon, invite, call upon
        for aid, request, entreat, encourage,
        comfort, exhort
    στέφανος (2)

ἐξουσίαν κατὰ τῶν υἱῶν αὐτοὺς ἀποκτεῖναι. ἀπέκτει-
νεν οὖν οὐ μόνον τὸν πρῶτον τῶν ἓξ υἱῶν ἀλλὰ καὶ
τοὺς ἄλλους.

54. Τούτου ἕνεκα ἐγὼ λυπούμενος ἀπέρχομαι, ὡς
5   ὁρᾷς, εἰς τὸ μνημεῖον αὐτῶν. κλαίω δὲ οὐ μόνον
τοὺς υἱούς μου ἀλλὰ καὶ τὸ ἀργύριον ὃ ἀπώλεσα καὶ
οὐ δύναμαι ἀποδοῦναι. οἱ δὲ μέλλοντες ἀποδοῦναι
ἀπέθανον. ἀρκεῖ μοι οὖν ἡ θλῖψίς μου.

55. Ταῦτα δὲ τοῦ γέροντος εἰπόντος ὁ ἀπόστολος
10   προστάσσει αὐτῷ· Μὴ λυποῦ πάτερ· ἰδοὺ δι᾽ ὑμῶν
μέλλει ἐμφανίσαι ἡμᾶς ὁ θεὸς ἐν τῇ Κεντηρᾷ. ἐγὼ
γάρ εἰμι Θωμᾶς ὃν ὁ υἱός σου ἑώρακεν· καὶ διὰ τῆς

---

(1) ἐξουσία, -ας, ἡ: ability, power, authority,
        government
    μνημεῖον, -ου, τό: monument, memorial, tomb

(2) ἀποδίδωμι, ἀποδώσω, ἀπέδωκα, ---, ---, ἀπε-
        δόθην: give away, give up, give back,
    reward, recompense

(3) ἀποδίδωμι (2)
    ἀρκέω, ---, ἤρκεσα, ---, ---, ἠρκέσθην: be
        enough, (pass.) be satisfied, be contented
    ἓξ: six
    προστάσσω, ---, προσέταξα, ---, προστέταγμαι,
        προσετάχθην and προσετάγην: command,
        order, appoint

τοῦ Χριστοῦ μου δυνάμεως ἐγερθήσονται οἱ δι' αὐτὸν ἀποθανόντες.

56. Ὁ δὲ γέρων θαυμάσας ἔδειξε τῷ Θωμᾷ τὸ μνημεῖ- ον τῶν ἓξ υἱῶν. τὰ δὲ πλήθη τῆς Κεντερᾶς ἀκούσαντα
5 συνήχθη ὅπως πάντες ἴδωσιν τὸ λεγόμενον πρὸς αὐτούς. τότε λέγει Θωμᾶς πρὸς αὐτούς· Ἵνα μὴ αὐτὸς πορευ- θῶ ἐκεῖσε, καὶ ἡ δύναμις τοῦ Χριστοῦ γοητεία ὧδε μὴ νομισθῇ, ἄρατε ὑμεῖς τὸ δέρμα μου καὶ πορεύθητε εἰς τὸ μνημεῖον τῶν υἱῶν τοῦ λυπουμένου γέροντος καὶ
10 θέτε αὐτὸ ἐπάνω ἐν τῷ ὀνόματι τοῦ κυρίου ἡμῶν Ἰησοῦ Χριστοῦ τοῦ ἀληθινοῦ θεοῦ, καὶ ὄψεσθε τὴν δύναμιν αὐτοῦ.

57. Οἱ δὲ λαβόντες τὸ δέρμα ἀπῆλθον εἰς τὸ μνημεῖ- ον, καὶ τούτων θέντων αὐτὸ ἐπάνω οὐ μόνον οἱ υἱοὶ
15 ἀνέστησαν, ἀλλὰ καὶ οἱ ὑποκάτω αὐτῶν ἐν τῷ αὐτῷ μνημείῳ ὑπάρχοντες ἀνέστησαν καὶ οὗτοι. τὰ πλήθη

---

(2) μνημεῖον, -ου, τό: monument, memorial, tomb
πλῆθος, -ους, τό: multitude, populace, crowd
ὑπάρχω, ---, ---, ---, ---, ---: exist, be

(3) ἐγείρω, ἐγερῶ, ἤγειρα, ---, ἐγήγερμαι, ἠγέρθην: awake, raise; (pass.) wake up
μνημεῖον (2)
πλῆθος (2)

68

ἰδόντα ἐθαύμασε.

58. Οἱ δὲ ἐκ τῶν νεκρῶν ἀναστάντες ἔκραζον λέγον-
τες· Μέγας ὁ θεὸς ὁ ἀληθινός· ἀληθῶς οὐκ ἔστιν
θεὸς <u>πλὴν</u> τοῦ ὑπὸ τοῦ ἀποστόλου Θωμᾶ κηρυσσομένου
5 καὶ πεσόντες ὑπὸ τοὺς πόδας αὐτοῦ εἶπον· Δεόμεθά
σου, δοῦλε τοῦ θεοῦ, βάπτισον ἡμᾶς ἵνα καὶ ἡμεῖς
ὦμεν μετὰ τῶν πρὸ ἡμῶν ὑπὸ σου βαπτισθέντων· εἴδο-
μεν γὰρ αὐτοὺς μακαρίους ἐν τῷ οὐρανῷ, ἡμῶν ἐν τῇ
κολάσει ὑπαρχόντων.

10 59. Τότε ὁ ἀπόστολος τοῦ Χριστοῦ εὐχαριστήσας τῷ
θεῷ ἔδωκεν αὐτοῖς τὴν ἐν Χριστῷ <u>σφραγῖδα</u>. τινὲς
δὲ ἐκ τοῦ πλήθους πορευθέντες ἀπήγγειλαν τῷ μεγάλῳ
ἱερεῖ τῶν εἰδώλων πάντα. ὁ δὲ ἀκούσας ἐλύπησε λέ-
γων· Οὐαὶ ἡμῖν· οὗτος ὃν λέγετε Θωμᾶν ἐστιν ἐκ
15 τῶν δώδεκα <u>πλάνων</u> τῶν ἐξελθόντων ἐκ τῶν Ἱεροσολύ-

---

(1) πλάνος, -ον: leading astray, deceiving;
         (subst.) deceiver, impostor
    πλήν: (conj.) but, nevertheless; (prep. with
         gen.) except

(2) σφραγίς, -ίδος, ἡ: seal, signet

(3) εὐχαριστέω, ---, εὐχαρίστησα, ---, ---, εὐχα-
        ριστήθην: be thankful, give thanks,
        pray
    ὑπάρχω, ---, ---, ---, ---, ---: exist, be

μων μετὰ τοῦ διδασκάλου αὐτῶν τοῦ πλάνου τοῦ λεγο-
μένου 'Ιησοῦ· ὃς ἐσταυρώθη ὡς ὁ κακὸν ποιῶν, καὶ
αὐτὸν ἐν μνημείῳ ἔθηκαν· οἱ δὲ πλάνοι νυκτὸς ἄραν-
τες τὸ σῶμα αὐτοῦ εἶπον ὅτι ἀνέστη ἐκ τῶν νεκρῶν.
5   περιπατοῦντες δὲ πλανῶσιν ἀνθρώπους οἵ γράμματα
οὐκ οἴδασιν. ἀλλὰ πορευθῶμεν πρὸς τὸν πλάνον τοῦ-
τον ὅπως δείξω ὑμῖν τὴν πλάνην αὐτοῦ.
60. Καὶ ἀναστάντες ἦλθοσαν εἰς τὴν πλατεῖαν τῆς
πόλεως μετὰ τοῦ ἱερέως τῶν εἰδώλων· ἐλθόντες δὲ
10   εὗρον τὸν Θωμᾶν ἐκβάλλοντα δαιμόνια, καὶ τὸ πλῆθος
τοῦ λαοῦ μετ' αὐτοῦ. καὶ ἰδὼν αὐτὸν ὁ ἱερεὺς ἔφη·
Τίς ἐνετείλατό σοι, κατάρατε ἄνθρωπε, εἰσελθεῖν
εἰς τὴν πόλιν ἡμῶν, καὶ πλανῆσαι τὸν λαὸν διὰ τῶν
-γοητειῶν σου ὧν παρὰ τοῦ διδασκάλου σου τοῦ πλάνου

70:5 οἵ γράμματα οὐκ οἴδασιν: who are uneducated
or illiterate.
70:8 ἦλθοσαν (See p. 35:10 note.)
70:14 ὧν: which (This relative pronoun has been
attracted into the case of its antecedent.)

---

(2) πλάνος, -ον: leading astray, deceiving;
        (subst.) deceiver, impostor

(3) πλάνος (2)

'Ιησοῦ ἐδιδάχθης; μὴ ἀρκεῖ ὑμῖν πάντα τὰ 'Ιεροσό-
λυμα; ἀλλὰ μᾶλλον ἦλθες καὶ πρὸς ἡμᾶς δεῖξαι τὰς
γοητείας σου; εἰ θεός ἐστιν ὃν σὺ κηρύσσεις, διὰ
τί ἐσταυρώθη; ὑμεῖς δὲ ἄραντες τὸ σῶμα αὐτοῦ νυκ-
5   τὸς ἐπλανήσατε τὸν λαὸν λέγοντες ὅτι ἠγέρθη ἐκ τῶν
νεκρῶν.

61. Καὶ εὐθέως πεῖσαι πάντα τὸν λαὸν βαλεῖν λίθους
ἐπὶ τὸν Θωμᾶν ἐβουλήθη ὁ ἱερεὺς τῶν εἰδώλων. κατὰ
δὲ τὸ θέλημα θεοῦ οὐδεὶς ἐκ τῶν βουληθέντων λαβεῖν
10   λίθον ἀναστῆναι ἠδυνήθη, ἀλλ' ἐδέθησαν πρὸς τοῖς
λίθοις, οἱ δὲ λίθοι πρὸς τῇ γῇ. ἰδόντες δὲ ὅτι οὐκ
ἠδυνήθησαν ἀναστῆναι ἔκραξαν λέγοντες· Δοῦλε τοῦ
θεοῦ, ἐλέησον ἡμᾶς, καὶ ἐὰν ἀπὸ τῆς γῆς ἀναστῶμεν,
πιστεύσομεν εἰς τὸν θεὸν 'Ιησοῦν. ἔγνωμεν γὰρ ὅτι
15   οὐκ ἔστιν θεὸς πλὴν τοῦ θεοῦ σου· καὶ μὴ ποιήσῃς
ἡμῖν κατὰ τὴν ἁμαρτίαν ἡμῶν.

62. Ὁ δὲ ἀπόστολος ἰδὼν τὴν μετάνοιαν αὐτῶν προσ-
ηύξατο λέγων· Κύριε 'Ιησοῦ Χριστέ, ὁ διὰ τὸν λαὸν

---

(2)   πλήν: (conj.) but, nevertheless; (prep. with
                gen.) except

(3)   εὐθέως: immediately

71

τοῦτον σταυρωθείς, καὶ ἡμᾶς εἰς τὸ μέσον αὐτῶν ἀπο-
στείλας ὅπως ἐπιστρέψωμεν αὐτοὺς πρὸς τὴν γνῶσιν
σου, αὐτὸς εἰσάκουσόν μου ἐν τῇ ὥρᾳ ταύτῃ, καὶ δὸς
τῷ λαῷ τούτῳ ἀναστῆναι. αὐτὸν δὲ τὸν κατὰ τῆς σῆς
5 δόξης κακὰ λαλήσαντα ὕψωσον εἰς τὸν ἀέρα, ὅπως ἴδω-
σιν καὶ δοξάσωσιν τὸ ὄνομά σου τὸ ἅγιον εἰς τοὺς
αἰῶνας· ἀμήν.

63. Καὶ εὐθέως ἀνέστη πᾶς ὁ λαός· αὐτὸς δὲ ὁ τού-
τους κινήσας, ὁ τῶν δαιμονίων ἱερεύς, εἰς τὸν ἀέρα
10 ὑψώθη ἐνώπιον παντὸς τοῦ λαοῦ· ἰδὼν δὲ ὁ ἱερεὺς
ἑαυτὸν ἐν τῷ ἀέρι ἔκραξε φωνῇ μεγάλῃ λέγων· Ὁμο-
λογῶ σε, κύριε Ἰησοῦ Χριστέ, ὁ δεσπότης πάντων
τῶν πιστευόντων εἰς σέ· ὅτι σὺ εἶ ἀληθινός, καὶ
οὐκ ἔστιν ἄλλος πλὴν σου, ἀλλὰ πάντες οἱ θεοὶ οἱ

---

(1) ἀήρ, ἀέρος, ὁ: air

(2) ἀήρ (1)
     ὑψόω, ὑψώσω, ὕψωσα, ---, ---, ὑψώθην: lift up,
          raise up, exalt

(3) ἀήρ (2)
     πλήν: (conj.) but, nevertheless; (prep. with
          gen.) except
     ὑψόω (2)

ἀφ' ἡμῶν προσκυνούμενοι ἔργα χειρῶν ἀνθρώπων εἰσίν.

καὶ νῦν, δέσποτα, μὴ μᾶλλον ὑψώσῃς με, διὰ τὸ ὄνο-

μά σου τὸ ἅγιον, ἀλλὰ στήριξόν με ἐπὶ τῆς γῆς, ὅ-

πως καὶ αὐτὸς βαπτισθῶ ὑπὸ τοῦ ἀποστόλου σου Θωμᾶ.

5 64. Ταῦτα δὲ αὐτοῦ λέγοντος ἐν τῷ ἀέρι, ὁ ἀπόστο-

λος δέδωκεν αὐτῷ χεῖρα καὶ ἐστήριξεν αὐτὸν ἐπὶ τῆς

γῆς. καὶ πεσὼν ὑπὸ τοὺς πόδας τοῦ Θωμᾶ ὁ ἱερεὺς

ἔφη· Δοῦλε τοῦ θεοῦ, βάπτισόν με, καὶ δός μοι τὴν

ἐν Χριστῷ σφραγῖδα.

10 65. Χαρεὶς δὲ ὁ ἀπόστολος ἐβάπτισεν αὐτὸν καὶ πάν-

τα τὸν λαὸν εἰς τὸ ὄνομα πατρός, υἱοῦ, καὶ ἁγίου

πνεύματος· καὶ πορευθεὶς εἰς τὸ ἱερὸν ἀπώλεσε τὰ

εἴδωλα αὐτῶν, καὶ ἐποίησεν αὐτὸ ἐκκλησίαν, καὶ γέ-

γονεν ὁ ἱερεὺς τῶν εἰδώλων ἱερεὺς θεοῦ τοῦ ἀληθινοῦ.

---

(3) ἐκκλησία, -ας, ἡ: assembly, congregation, church
   προσκυνέω, προσκυνήσω, προσεκύνησα, ---, ---,
        ---: worship, do obeisance to, prostrate
        oneself before
   στηρίζω, στηρίσω and στηριῶ, ἐστήριξα and
        ἐστήρισα, ---, ἐστήριγμαι, ἐστηρίχθην:
        place firmly, establish, strengthen
   σφραγίς, -ίδος, ἡ: seal, signet

καὶ Θωμᾶς παραδοὺς αὐτοῖς τὰ ἅγια μυστήρια καὶ ποι-
ήσας διακόνους καὶ στηρίξας αὐτοὺς καὶ εὐλογήσας
ἀνεχώρησεν ἐξ αὐτῶν.

---

(3) ἀναχωρέω, ---, ἀνεχώρησα, ἀνακεχώρηκα, ---,
        ---: return, withdraw, retire
     διάκονος, -ου, ὃ or ἣ: servant, deacon
     μυστήριον, -ου, τό: secret, mystery

74

THE TESTAMENT OF ABRAHAM

Since Abraham has lived out his allotted days on earth, God sends the archangel Michael to tell the patriarch to set his house in order and prepare to die. On his first visit Michael is so impressed with the hospitality and righteousness of his host that he returns to heaven without delivering his message. Sent a second time Michael is assured that the forewarning of Abraham's death will come through a dream given Isaac. The archangel is also promised by the Lord a spirit that will eat everything served Michael and thus relieve the messenger of the embarrassment of a bodiless being's attempting to perform bodily functions.

Isaac has his dream. Abraham, Sarah and Isaac receive the message and recognize clearly that they are entertaining a heavenly visitant. Nevertheless Abraham refuses to follow Michael into the presence of God.

Again the archangel returns to heaven. God sends Michael to Abraham a third time to ask the patriarch why he resists, since all men must die. By way of rejoinder Abraham asks for an opportunity to see the whole world before he dies. Michael ascends again to the throne of God and is bidden to take a cloud and some angels and satisfy Abraham's request.

Viewing the inhabited world from aloft, the patriarch is indignant at the sinfulness of mankind and prays repeatedly for the death of sinners whom he sees. Fearing lest the human race be annihilated, God commands that Abraham's world tour be interrupted and that the patriarch be instructed by a view of divine judgment as to how serious a thing it is to request the death of sinners. Abraham repents of his harshness and prays for the resurrection of those whom he had previously condemned.

Finally brought back home, Abraham still refuses to follow Michael. The Lord, therefore, sends Death in his most attractive guise. After considerable maneuvering, the patriarch is trapped and his soul is carried up into heaven.

"The Testament of Abraham" belongs to the Apocalyptic literature associated with the Old Testament. Probably this "testament" was composed in the second century of the Christian era.

ΔΙΑΘΗΚΗ ΑΒΡΑΑΜ

1. "Εζησεν 'Αβρααμ τὸ μέτρον τῆς ζωῆς αὐτοῦ, πάν-
τα τὰ ἔτη τῆς ζωῆς αὐτοῦ, ἐν ἡσυχίᾳ καὶ δικαιοσύνῃ.
πάνυ ὑπῆρχε φιλόξενος ὁ δίκαιος. ἔχων γὰρ τὰς σκη-
νὰς αὐτοῦ ὑποκάτω τῆς δρυὸς τῆς Μαμβρῆ πάντας ὑπε-
5   δέχετο. πλουσίους καὶ πένητας, βασιλεῖς τε καὶ ἄρ-
χοντας, φίλους καὶ ξένους ἴσον ὑπεδέχετο ὁ ὅσιος
καὶ δίκαιος καὶ φιλόξενος 'Αβραάμ. ἦλθεν δὲ καὶ

---

(1) 'Αβραάμ (indecl.) ὁ: Abraham
δια θήκη, -ης, ἡ: will, testament
δρῦς, δρυός, ἡ: oak (-NT)
ἡσυχία, -ας, ἡ: quietness, rest, silence
ἴσος, -η, -ον: equal, same, consistent; ἴσον:
        equally, in the same way
Μαμβρῆ (indecl.) ἡ: Mamre (-NT)
μέτρον, -ου, τό: measure
ὅσιος, -α, -ον: devout, pious, holy
πάνυ: altogether, very
πένης, -ητος: poor; (subst.) poor man
πλούσιος, -α, -ον: rich, wealthy
σκηνή, -ῆς, ἡ: tent, booth, tabernacle
ὑποδέχομαι, ---, ὑπεδεξάμην, ---, ὑποδέδεγμαι,
        ---: receive, welcome, entertain
φιλόξενος, -ον: hospitable
φίλος, -η, -ον: beloved, loving; (subst.) friend

(2) 'Αβραάμ (1)
ὑποδέχομαι (1)
φιλόξενος (1)

(3) 'Αβραάμ (2)

76

ἐπὶ τοῦτον τὸ τοῦ θανάτου <u>πικρὸν</u> ποτήριον μετὰ τὸ
<u>μέτρον</u> τῆς ζωῆς αὐτοῦ. <u>προσκαλεσάμενος</u> οὖν ὁ δε-
σπότης θεὸς τὸν <u>ἀρχάγγελον</u> αὐτοῦ <u>Μιχαὴλ</u> εἶπεν πρὸς
αὐτόν· Κατάβηθι, <u>Μιχαὴλ</u> <u>ἀρχιστράτηγε</u>, πρὸς Ἀβρα-
5 άμ, καὶ εἰπὲ αὐτῷ περὶ τοῦ θανάτου, ἵνα γένηται
<u>διαθήκη</u> αὐτῷ περὶ <u>πραγμάτων</u> αὐτοῦ, ὅτι ηὐλόγησα
αὐτὸν <u>πάνυ</u>. τὰ <u>πράγματα</u> γέγονεν ὡς οἱ <u>ἀστέρες</u> τοῦ
οὐρανοῦ, καὶ ὡς ἡ <u>ἄμμος</u> ἡ παρὰ τὴν θάλασσαν· καὶ
οὐκ ἔστι <u>πένης</u> ἀλλὰ <u>πλούσιος</u> πάνυ. ἔσται δὲ δίκαι-

---

(1) ἄμμος, -ου, ἡ: sand
     ἀρχάγγελος, -ου, ὁ: archangel
     ἀρχιστράτηγος, -ου, ὁ: supreme commander (-NT)
     ἀστήρ, ἀστέρος, ὁ: star
     Μιχαὴλ (indecl.) ὁ: Michael
     πικρός, -ά, -όν: bitter, harsh; πικρῶς:
          bitterly
     πρᾶγμα, -ατος, τό: thing, deed, matter,
          affair; (pl.) business interests
     προσκαλέομαι, ---, προσεκαλεσάμην, ---, προσ-
          κέκλημαι, ---: summon, call for, invite

(2) διαθήκη, -ης, ἡ: will, testament
     μέτρον, -ου, τό: measure
     Μιχαὴλ (1)
     πάνυ: altogether, very
     πένης, -ητος: poor; (subst.) poor man
     πλούσιος, -α, -ον: rich, wealthy
     πρᾶγμα (1)

(3) πάνυ (2)

77

ος καὶ φιλόξενος ἐν ἡσυχίᾳ ἕως τοῦ τέλους τῆς ζωῆς

αὐτοῦ. σὺ δέ, ἀρχάγγελε Μιχαήλ, ἄπελθε πρὸς τὸν

'Αβραάμ, τὸν ἠγαπημένον μου φίλον, καὶ ἀνάγγειλον

αὐτῷ περὶ τοῦ θανάτου καὶ τῆς διαθήκης αὐτοῦ, καὶ

5   εἰπὲ αὐτῷ ὅτι Μέλλεις ἐν τῷ καιρῷ τούτῳ ἐξέρχεσθαι

ἐκ τοῦ κόσμου τούτου καὶ μέλλεις ἐκδημεῖν ἐκ τοῦ

σώματος καὶ πρὸς τὸν ἴδιον δεσπότην ἐλεύσῃ ὡς πάνυ

ἀγαθός.

2.   'Εξελθὼν δὲ ἀρχιστράτηγος ἐκ προσώπου τοῦ θεοῦ

10   κατῆλθε πρὸς τὸν 'Αβραὰμ ἐπὶ τὴν δρῦν τῆς Μαμβρῆ,

78:5 ὅτι (Not to be translated since it introduces
a direct quotation.)

---

(1)   ἀγαθός, -ή, -όν: good, fit, useful
      ἐκδημέω, ---, ἐξεδήμησα, ---, ---, ---: depart
      κατέρχομαι, κατελεύσομαι, κατῆλθον, ---, ---,
            ---: come down
      τέλος, -ους, τό: end, termination

(2)   ἀρχάγγελος, -ου, ὁ: archangel
      ἀρχιστράτηγος, -ου, ὁ: supreme commander (-NT)
      δρῦς, δρυός, ἡ: oak (-NT)
      ἡσυχία, -ας, ἡ: quietness, rest, silence
      Μαμβρῆ (indecl.) ἡ: Mamre (-NT)
      φίλος, -η, -ον: beloved, loving; (subst.) friend

(3)   διαθήκη, -ης, ἡ: will, testament
      Μιχαήλ (indecl.) ὁ: Michael
      φιλόξενος, -ον: hospitable

καὶ εὗρεν τὸν δίκαιον Ἀβραάμ. καὶ ἰδοὺ ὁ ἀρχιστρά-
τηγος ἤρχετο πρὸς αὐτόν· ἰδὼν δὲ ὁ Ἀβραὰμ τὸν ἀρ-
χιστράτηγον Μιχαὴλ ἀπὸ μακρόθεν ἐρχόμενον, ἀναστὰς
οὖν ὑπήντησεν αὐτῷ ὡς καὶ ἔθος εἶχεν, τοῖς ξένοις
5 πᾶσιν ὑπαντῶν καὶ ὑποδεχόμενος. ὁ δὲ ἀρχιστράτηγος
εἶπεν· Χαῖρε, τιμιώτατε πάτερ, δικαία ψυχὴ ἐκλεκτὴ
τοῦ θεοῦ, φίλε γνήσιε τοῦ ἐπουρανίου. εἶπεν δὲ Ἀ-
βραὰμ πρὸς τὸν ἀρχιστράτηγον· Χαῖρε, τιμιώτατε

79:6 τιμιώτατε: held in highest honor, held in
very high honor. (Voc. masc. sing. superlative of
τίμιος, -α, -ον, which is the positive degree.
τιμιώτερος, -α, -ον is the comparative, and
τιμιώτατος, -η, -ον the superlative.)

---

(1) γνήσιος, -α, -ον: legitimate, genuine
     ἔθος, -ους, τό: habit, usage, custom
     ἐπουράνιος, -ον: heavenly
     τίμιος, -α, -ον: costly, precious, held in honor
     ὑπαντάω, ---, ὑπήντησα, ---, ---, ---: come to
          meet, go to meet, oppose
(2) τίμιος (1)
     ὑπαντάω (1)

(3) ἀρχιστράτηγος, -ου, ὁ: supreme commander
     ὑποδέχομαι, ---, ὑπεδεξάμην, ---, ὑποδέδεγμαι,
          ---: receive, welcome, entertain
     φίλος, -η, -ον: beloved, loving; (subst.) friend

79

στρατιῶτα, ὅμοιε τῷ ἡλίῳ ὑπὲρ πάντας τοὺς υἱοὺς τῶν
ἀνθρώπων· καλῶς ἥκεις· τούτου χάριν αἰτοῦμαι περὶ
τῆς σῆς παρουσίας πόθεν ἥκεις. ὁ δὲ ἀρχιστράτηγος
ἔφη· Ἐγώ, δίκαιε Ἀβραάμ, μακρὰν ὁδὸν ἀπὸ τῆς με-
5 γάλης πόλεως ἔρχομαι παρὰ τοῦ μεγάλου βασιλέως ἀπο-
σταλείς. καὶ ὁ Ἀβραὰμ εἶπεν· Δεῦρο, κύριέ μου,
πορεύθητι μετ᾽ ἐμοῦ ἕως τῆς μονῆς μου. καί φησιν
ὁ ἀρχιστράτηγος· Ἔρχομαι.

3. Ἀπερχομένων δὲ αὐτῶν πρὸς τὰς σκηνὰς τοῦ Ἀ-
10 βραάμ, παρὰ τῇ ὁδῷ ἐκείνῃ ἵστατο δένδρον· καὶ κατὰ
ἐντολὴν τοῦ θεοῦ ἐβόησεν τὸ δένδρον τῇ φωνῇ ἀνθρώ-
που, καὶ εἶπεν· Ἅγιος, ἅγιος, ἅγιος κύριος ὁ θεὸς
ὁ προσκαλούμενος τοὺς ἀγαπῶντας αὐτόν. ἔκρυψεν δὲ

---

(1) δένδρον, -ου, τό: tree
     δεῦρο: come!, until now
     ἥλιος, -ου, ὁ: sun
     κρύπτω, ---, ἔκρυψα, ---, κέκρυμμαι, ἐκρύβην:
          hide, conceal, cover
     ὁδός, -ου, ἡ: way, road, journey, manner of
          life, conduct

(2) δένδρον (1)
     ὁδός (1)
     προσκαλέομαι, ---, προσεκαλεσάμην, ---, προσ-
          κέκλημαι, ---: summon, call for, invite
     σκηνή, -ῆς, ἡ: tent, booth, tabernacle

(3) καλῶς: well, nobly, in an excellent way

80

'Αβραὰμ τὸ μυστήριον, νομίσας ὅτι ὁ ἀρχιστράτηγος

τὴν φωνὴν τοῦ δένδρου οὐκ ἤκουσεν. ἐγγίσαντες δὲ

ταῖς σκηναῖς ἐκαθέσθησαν· καὶ ἰδὼν ὁ 'Ισαὰκ τὸ

πρόσωπον τοῦ ἀγγέλου εἶπεν πρὸς Σάρραν τὴν μητέρα

5   αὐτοῦ· Κυρία μου μῆτερ, ἰδοὺ ὁ ἄνθρωπος ὁ καθεζό-

μενος μετὰ τοῦ πατρός μου 'Αβραὰμ οὐκ ἔστιν υἱὸς

τῶν ἀνθρώπων ἐπὶ τῆς γῆς. καὶ ἔδραμεν 'Ισαὰκ καὶ

προσεκύνησεν αὐτὸν καὶ προσέπεσεν τοῖς ποσὶν τοῦ

ἀσωμάτου· καὶ ὁ ἀσώματος ηὐλόγησεν αὐτὸν καὶ εἶπεν·

10   Χαρίσεταί σοι κύριος ὁ θεὸς τὴν ἐπαγγελίαν αὐτοῦ ἣν

---

(1)   ἀσώματος, -ον: not possessing a physical
          body (-NT)
      'Ισαάκ (indecl.) ὁ: Isaac
      καθέζομαι, ---, ---, ---, ---, ἐκαθέσθην:
          sit, sit down
      προσπίπτω, ---, προσέπεσον and προσέπεσα,
          ---, ---, ---: fall down before, fall
          upon, beat against
      Σάρρα, -ας, ἡ: Sarah
      χαρίζομαι, χαρίσομαι and χαριοῦμαι, ἐχαρισά-
          μην, κεχάρισμαι, ἐχαρίσθην: give freely,
          forgive, pardon, show oneself gracious

(2)   ἀσώματος (1)
      'Ισαάκ (1)
      καθέζομαι (1)

(3)   δένδρον, -ου, τό: tree
      σκηνή, -ῆς, ἡ: tent, booth, tabernacle

81

ἐπηγγείλατο τῷ πατρί σου Ἀβραὰμ καὶ τῷ σπέρματι

αὐτοῦ, καὶ χαρίσεταί σοι καὶ τὴν τιμίαν εὐχὴν τοῦ

πατρός σου καὶ τῆς μητρός σου. εἶπεν δὲ Ἀβραὰμ

πρὸς Ἰσαὰκ τὸν υἱὸν αὐτοῦ· Τέκνον Ἰσαάκ, ἄντλη-

5 σον ὕδωρ ἀπὸ τοῦ φρέατος καὶ ἔνεγκέ μοι ἐπὶ τοῦ

νιπτῆρος ἵνα νίψωμεν τούτου τοῦ ξένου τοὺς πόδας,

ὡς ἔθος ἔχω, ὅτι ἀπὸ μακρᾶς ὁδοῦ πρὸς ἡμᾶς ἦλθεν.

δραμὼν δὲ Ἰσαὰκ εἰς τὸ φρέαρ ἤντλησεν ὕδωρ ἐπὶ τοῦ

νιπτῆρος καὶ ἤνεγκεν πρὸς αὐτούς. προσελθὼν δὲ ὁ

---

(1) ἀντλέω, ---, ἤντλησα, ---, ---, ἠντλήθην:
      draw (water)
    εὐχή, -ῆς, ἡ: prayer, vow, wish
    νιπτήρ, -ῆρος, ὁ: basin, wash-basin
    νίπτω, ---, ἔνιψα, ---, ---, ---: wash
    φρέαρ, φρέατος, τό: well, pit

(2) ἀντλέω (1)
    ἔθος, -ους, τό: habit, usage, custom
    νιπτήρ (1)
    φρέαρ (1)
    χαρίζομαι, χαρίσομαι and χαριοῦμαι, ἐχαρισάμην,
      κεχάρισμαι, ἐχαρίσθην: give freely,
      forgive, pardon, show oneself gracious

(3) Ἰσαάκ (indecl.) ὁ: Isaac
    ὁδός, -οῦ, ἡ: way, road, journey, manner of
      life, conduct
    τίμιος, -α, -ον: costly, precious, held in
      honor

'Αβραὰμ ἔνιψεν ἐν τῷ ὕδατι τῷ ἀντληθέντι ἀπὸ τοῦ

φρέατος τοὺς πόδας τοῦ ἀρχιστρατήγου Μιχαήλ. ἐκι-

νήθησαν δὲ τὰ σπλάγχνα τοῦ 'Αβραὰμ καὶ ἐδάκρυσεν

ἐπὶ τὸν ξένον. ἰδὼν δὲ 'Ισαὰκ τὸν πατέρα αὐτοῦ

5 δακρύοντα ἐδάκρυσεν καὶ αὐτός. ἰδὼν δὲ ἀρχιστρά-

τηγος αὐτοὺς δακρύοντας ἐδάκρυσεν καὶ αὐτὸς μετ'

αὐτῶν, καὶ ἔπιπτον τὰ δάκρυα τοῦ ἀρχιστρατήγου ἐπὶ

τοῦ νιπτῆρος εἰς τὸ ὕδωρ τοῦ νιπτῆρος, καὶ ἐγένοντο

λίθοι τίμιοι. ἰδὼν δὲ ὁ 'Αβραὰμ τὸ θαῦμα ἔλαβε

10 τοὺς λίθους κρυπτῶς καὶ ἔκρυψεν τὸ μυστήριον, μόνος

ἔχων ἐν τῇ καρδίᾳ αὐτοῦ.

83:4 ἐπὶ τὸν ξένον: over the stranger

---

(1) δάκρυον, -ου, τό: tear, (pl.) weeping
     δακρύω, ---, ἐδάκρυσα, ---, ---, ---: weep
     θαῦμα, -ατος, τό: wonder

(2) δακρύω (1)
     κρύπτω, ---, ἔκρυψα, ---, κέκρυμμαι, ἐκρύβην:
          hide, conceal, cover
     νίπτω, ---, ἔνιψα, ---, ---, ---: wash

(3) ἀντλέω, ---, ἤντλησα, ---, ---, ἠντλήθην:
          draw (water)
     δακρύω (2)
     νιπτήρ, -ῆρος, ὁ: basin, wash-basin
     φρέαρ, φρέατος, τό: well, pit

4. Εἶπεν δὲ 'Αβραὰμ πρὸς 'Ισαὰκ τὸν υἱὸν αὐτοῦ·

"Ἀπελθε, υἱέ μου ἀγαπητέ, εἰς τὴν σκηνὴν τοῦ τρι-

κλίνου καὶ ἑτοίμασον ἡμῖν ἐκεῖ δύο κλίνας, μίαν

ἐμὴν καὶ μίαν τούτου τοῦ ξενισθέντος ἡμῖν σήμερον.

5 ἑτοίμασον δὲ ἡμῖν ἐκεῖ τράπεζαν ἐν ἀφθονίᾳ παντὸς

ἀγαθοῦ, τράπεζαν ἔνδοξον ὁμοίαν τῷ παραδείσῳ. οὗ-

τος γὰρ ὁ ξενισθεὶς ἡμῖν σήμερον ἐνδοξότερος κάλλει

84:2 τρικλίνου (Compare ἀρχιτρίκλινος in John 2:9.)
84:5 ἐν ἀφθονίᾳ παντὸς ἀγαθοῦ: with an abundance
of every good thing
84:7 ἐνδοξότερος: more glorious (This is the
comparative of ἔνδοξος. The superlative is ἐνδοξό-
τατος.)

---

(1) ἀφθονία, -ας, ἡ: freedom from envy, abundance,
        plenty
ἔνδοξος, -ον: honored, glorious, splendid
κάλλος, -ους, τό: beauty
κλίνη, -ης, ἡ: bed, couch
ξενίζω, ---, ἐξένισα, ---, ---, ἐξενίσθην:
        receive as a guest, entertain, surprise,
        astonish
παράδεισος, -ου, ὁ: paradise
τράπεζα, -ης, ἡ: table, meal, food
τρίκλινος, -ου, ὁ: dining-room with three
        couches (-NT)

(2) ἀγαθός, -ή, -όν: good, fit, useful
ἔνδοξος (1)
ξενίζω (1)
τράπεζα (1)

ὑπάρχει βασιλέων καὶ ἀρχόντων. ὁ δὲ Ἰσαὰκ ἡτοί-
μασεν πάντα καλῶς. παραλαβὼν δὲ Ἀβραὰμ τὸν ἀρχάγ-
γελον Μιχαήλ, ἀνῆλθεν εἰς τὴν σκηνὴν τοῦ τρικλίνου,
καὶ ἐκαθέσθησαν ἀμφότεροι ἐπὶ τὰς κλίνας, πρὸ δὲ

5   αὐτῶν ἔθηκεν Ἰσαὰκ τράπεζαν ἐν ἀφθονίᾳ παντὸς ἀγα-
θοῦ. ἐγερθεὶς οὖν ὁ ἀρχιστράτηγος ἐκ τῆς σκηνῆς
καὶ ἀνῆλθεν εὐθὺς εἰς τὸν οὐρανὸν ἐξ οὗ κατῆλθε
καὶ ἔστη ἐνώπιον τοῦ θεοῦ, καὶ εἶπεν πρὸς αὐτόν·

85:1 βασιλέων καὶ ἀρχόντων (genitive or ablative
with a comparative instead of ἢ βασιλεῖς καὶ ἄρχον-
τες)

---

(1) ἀνέρχομαι, ---, ἀνῆλθον, ---, ---, ---: go up
     εὐθύς, -εῖα, -ύ: (adj.) straight, right,
           upright; (adv.) immediately, at once
     παραλαμβάνω, παραλήμψομαι, παρέλαβον, ---,
           ---, παρελήμφθην: take to oneself, take
           with, receive

(2) ἀνέρχομαι (1)
     ἀφθονία, -ας, ἡ: freedom from envy, abundance,
           plenty
     κατέρχομαι, κατελεύσομαι, κατῆλθον, ---, ---,
           ---: come down
     κλίνη, -ης, ἡ: bed, couch
     τρίκλινος, -ου, ὁ: dining-room with three
           couches

(3) ἀγαθός, -ή, -όν: good, fit, useful
     ἀρχάγγελος, -ου, ὁ: archangel
     τράπεζα, -ης, ἡ: table, meal, food

Δέσποτα κύριε, ἀνῆλθον ἵνα γινώσκῃ τὸ σὸν χράτος

ὅτι ἐγὼ τὴν μνήμην τοῦ θανάτου πρὸς τὸν δίκαιον

ἄνδρα ἐκεῖνον ἀναγγεῖλαι οὐ δύναμαι, ὅτι οὐκ εἶδον

ἐπὶ τῆς γῆς ἄνθρωπον ὅμοιον αὐτῷ φιλόξενον, δίκαιον,

5 ἀληθινόν, ἀπερχόμενον ἀπὸ παντὸς πονηροῦ πράγματος·

καὶ νῦν γίνωσκε, κύριε, ὅτι ἐγὼ τὴν μνήμην τοῦ θα-

νάτου ἀναγγεῖλαι οὐ δύναμαι. ὁ δὲ κύριος εἶπεν·

Κατάβηθι, Μιχαὴλ ἀρχιστράτηγε, πρὸς τὸν φίλον μου

'Αβραάμ, καὶ ὅ τι ἄν λέγῃ σοι τοῦτο καὶ ποίει.

10 καὶ ὅ τι ἄν ἐσθίῃ, ἔσθιε καὶ σὺ μετ' αὐτοῦ· καὶ

ὅ τι ἄν πίνῃ, πίνε καὶ σὺ μετ' αὐτοῦ. ἐγὼ δὲ ἐπι-

86:1 ἵνα γινώσκῃ τὸ σὸν χράτος: that Thy power
might know (See p. 98:2.)

---

(1) χράτος, -ους, τό: power, might, strength, rule
     μνήμη, -ης, ἡ: remembrance, memory, mention,
          notice, advance notice
     ὅ τι ἄν: whatever

(2) μνήμη (1)
     ὅ τι ἄν (1)

(3) ἀνέρχομαι, ---, ἀνῆλθον, ---, ---, ---: go up
     ὅ τι ἄν (2)
     πρᾶγμα, -ατος, τό: thing, deed, matter, affair;
          (pl.) business interests

θήσω τὸ πνεῦμά μου τὸ ἅγιον ἐπὶ τὸν υἱὸν αὐτοῦ Ἰ-
σαάκ, καὶ δώσω τὴν μνήμην τοῦ θανάτου αὐτοῦ εἰς τὴν
καρδίαν τοῦ Ἰσαάκ, ἵνα καὶ αὐτὸς κατ' ὄναρ θεάση-
ται τὸν θάνατον τοῦ πατρὸς αὐτοῦ, καὶ Ἰσαὰκ ἀναγ-
5 γελεῖ τὸ ὅραμα καὶ ὁ Ἀβραὰμ αὐτὸς γνώσεται τὸ τέ-
λος αὐτοῦ. καὶ ὁ ἀρχιστράτηγος εἶπεν· Κύριε, πάν-
τα τὰ ἐπουράνια πνεύματα ὑπάρχουσιν ἀσώματα, καὶ
οὔτε ἐσθίουσιν οὔτε πίνουσιν· καὶ οὗτος πρὸ ἐμοῦ
τράπεζαν ἔθηκε ἐν ἀφθονίᾳ πάντων ἀγαθῶν τῆς γῆς.
10 καὶ νῦν, κύριε, τί ποιήσω; πῶς οὐκ ὄψεταί με καθή-
μενον πρὸ τῆς αὐτῆς τραπέζης μετ' αὐτοῦ; ὁ δὲ κύ-
ριος εἶπεν· Κατάβηθι πρὸς αὐτόν, κατάβηθι πρὸς αὐ-
τόν, καὶ μὴ ταρασσέσθω ἡ καρδία σου· καθεζομένου

---

(1) ὄναρ (used only in nom. and acc.) τό: dream
     οὔτε: and not

(2) ἐπουράνιος, -ον: heavenly
     οὔτε (1)
     τέλος, -ους, τό: end, termination

(3) ἀσώματος, -ον: not possessing a physical body
         (-NT)
     ἀφθονία, -ας, ἡ: freedom from envy, abundance,
         plenty
     καθέζομαι, ---, ---, ---, ---, ἐκαθέσθην: sit,
         sit down
     μνήμη, -ης, ἡ: remembrance, memory; mention,
         notice, advance notice

γὰρ σοῦ μετ' αὐτοῦ ἐγὼ ἀποστελῶ ἐπί σε πνεῦμα, ὃ
πάντα ἐκ τῶν χειρῶν σου φάγεται. χαίρετε οὖν μετ'
ἀλλήλων ἐν πᾶσιν σὺ καὶ 'Αβραάμ. ὄψῃ καλῶς ὅτι
γνώσεται τὸ τοῦ θανάτου δρέπανον καὶ τὸ τοῦ βίου

5   τέλος καὶ ὅτι γενήσεται αὐτῷ διαθήκη περὶ πάντων
τῶν πραγμάτων αὐτοῦ· ηὐλόγησα γὰρ αὐτὸν ὑπὲρ τὴν
ἄμμον τῆς θαλάσσης καὶ ὡς τοὺς ἀστέρας τοῦ οὐρανοῦ.
5. Τότε ὁ ἀρχιστράτηγος κατῆλθεν εἰς τὰς σκηνὰς
τοῦ 'Αβραὰμ καὶ ἐκαθέσθη μετ' αὐτοῦ πρὸ τῆς τραπέ-

10   ζης. 'Ισαὰκ δὲ ἦν ὑπηρέτης αὐτοῖς. μετὰ δὲ τὸ
δεῖπνον ἐποίησεν 'Αβραὰμ τὴν κατὰ ἔθος εὐχήν. ὁ
δὲ ἄγγελος προσηύχετο μετ' αὐτοῦ, καὶ ἀνεπαύσαντο

88:1 πνεῦμα. It is not explained why the spirit
could do what Michael could not do.

---

(1) ἀναπαύω, ἀναπαύσω, ἀνέπαυσα, ---, ἀναπέπαυμαι,
        ἀνεπαύθην and ἀνεπάην: (act.) give rest,
        refresh; (mid.) rest, take rest
     δρέπανον, -ου, τό: sickle, reaping hook,
        pruning hook

(2) ἄμμος, -ου, ἡ: sand
     ἀστήρ, ἀστέρος, ὁ: star
     εὐχή, -ῆς, ἡ: prayer, vow, wish

(3) ἔθος, -ους, τό: habit, usage, custom
     κατέρχομαι, κατελεύσομαι, κατῆλθον, ---, ---,
        ---: come down
     τέλος, -ους, τό: end, termination

88

ἕκαστος εἰς τὴν κλίνην αὐτοῦ. εἶπεν δὲ 'Ισαὰκ πρὸς

τὸν πατέρα αὐτοῦ· Πάτερ, θέλω κἀγὼ ἀναπαῆναι μεθ'

ὑμῶν ἐν τῷ τρικλίνῳ τούτῳ, ἵνα ἀκούσω κἀγὼ ὑμῶν·

ἀγαπῶ γὰρ ἀκούειν τὴν καλὴν ὁμιλίαν τοῦ ἀνδρὸς τού-

5 του. εἶπεν δὲ 'Αβραάμ· Οὐχί, τέκνον, ἀλλὰ ἄπελθε

εἰς τὸν σὸν τρίκλινον καὶ ἀνάπαυσαι ἐν τῇ κλίνῃ

σου, ἵνα μὴ γινώμεθα βαρεῖς τῷ ἀνθρώπῳ τούτῳ. τότε

'Ισαὰκ ἀκούσας τῆς εὐχῆς παρ' αὐτῶν καὶ εὐλογήσας,

ἀπῆλθεν εἰς τὸν ἴδιον τρίκλινον καὶ ἀνέπεσεν ἐπὶ

10 τὴν κλίνην αὐτοῦ. ἔδωκε δὲ ὁ θεὸς τὴν μνήμην τοῦ

θανάτου εἰς τὴν καρδίαν τοῦ 'Ισαὰκ ὡς κατ' ὄναρ.

καὶ περὶ ὥραν τρίτην τῆς νυκτὸς 'Ισαὰκ ἀνέστη ἀπὸ

----

(1) ἀναπίπτω, ---, ἀνέπεσον and ἀνέπεσα, ---, ---,
         ---: lie down, recline, lean back
     ὁμιλία, -ας, ἡ: instruction, conversation
     τρίτος, -η, -ον: third

(2) ἀναπαύω, ἀναπαύσω, ἀνέπαυσα, ---, ἀναπέπαυμαι,
         ἀνεπαύθην and ἀνεπάην: (act.) give rest,
         refresh; (mid.) rest, take rest
     ὄναρ (used only in nom. and acc.)   τό: dream

(3) ἀναπαύω (2)
     εὐχή, -ῆς, ἡ: prayer, vow, wish
     κλίνη, -ης, ἡ: bed, couch
     τρίκλινος, -ου, ὁ: dining-room with three
         couches

τῆς κλίνης αὐτοῦ καὶ ἔδραμεν ἕως τοῦ τρικλίνου ὅπου

ὁ πατὴρ αὐτοῦ ἐκάθευδεν μετὰ τοῦ ἀρχαγγέλου. ἐλθὼν

οὖν Ἰσαὰκ πρὸς τὴν θύραν ἔκραζεν λέγων· Πάτερ Ἀ-

βραάμ, ἀναστὰς ἄνοιξόν μοι εὐθύς, ὅπως εἰσέλθω καὶ

5 ἀσπάσωμαί σε· ἀροῦσιν γάρ σε ἀπ' ἐμοῦ. ἀναστὰς

οὖν Ἀβραὰμ ἤνοιξεν αὐτῷ· εἰσελθὼν δὲ Ἰσαὰκ ἠσπά-

σατο τὸν πατέρα αὐτοῦ καὶ ἔκλαυσεν φωνῇ μεγάλῃ. κι-

νηθεὶς οὖν τὰ σπλάγχνα ὁ Ἀβραὰμ ἔκλαυσεν καὶ αὐτὸς

μετ' αὐτοῦ φωνῇ μεγάλῃ· ἰδὼν δὲ ὁ ἀρχιστράτηγος

10 αὐτοὺς κλαίοντας, ἔκλαυσεν καὶ αὐτός. Σάρρα δὲ

ὑπάρχουσα ἐν τῇ σκηνῇ αὐτῆς ἤκουσεν αὐτῶν κλαιόντων

καὶ ἔδραμεν ἐπ' αὐτούς, καὶ εὗρεν αὐτοὺς ἀσπαζομέ-

νους καὶ κλαίοντας· καὶ εἶπεν Σάρρα κλαίουσα· Κύ-

ριέ μου Ἀβραάμ, τί ἐστιν τοῦτο ὅτι κλαίετε; ἀνάγ-

---

(1) ἀνοίγω, ἀνοίξω, ἀνέῳξα and ἠνέῳξα and ἤνοιξα,
    ἀνέῳγα, ἀνέῳγμαι and ἠνέῳγμαι, ἀνεῴχθην
    and ἠνεῴχθην and ἠνοίχθην: open

(2) ἀνοίγω (1)
    εὐθύς, -εῖα, -ύ: (adj.) straight, right,
        upright; (adv.) immediately, at once
    ὅπου: where
    Σάρρα, -ας, ἡ: Sarah

(3) Σάρρα (2)

γειλόν μοι, κύριέ μου. μὴ οὗτος ὁ ἀδελφὸς ὁ ξενι-
σθεὶς ἡμῖν σήμερον λόγον ἤνεγκέν σοι περὶ τοῦ Λώτ,
ὅτι ἀπέθανεν, καὶ διὰ τοῦτο θλῖψιν τοιαύτην ἔχετε;
ὑπολαβὼν δὲ ὁ ἀρχιστράτηγος εἶπεν πρὸς αὐτήν· Οὐ-
5 χί, ἀδελφὴ Σάρρα, οὐκ ἔστιν οὕτως ὡς σὺ λέγεις·
ἀλλὰ ὁ υἱός σου ᾿Ισαὰκ ὄναρ ἐθεάσατο, καὶ ἦλθεν
πρὸς ἡμᾶς κλαίων, καὶ ἡμεῖς τοῦτον ἰδόντες τὰ σπλάγ-
να ἐκινήθημεν καὶ ἐκλαύσαμεν.
6. ᾿Ακούσασα δὲ Σάρρα τὴν ὁμιλίαν τοῦ ἀρχιστρατή-
10 γου, εὐθὺς ἐγνώρισεν ὅτι ἄγγελος κυρίου ἐστὶν ὁ λα-
λῶν. προσκαλεσαμένη οὖν ἡ Σάρρα τὸν ᾿Αβραὰμ ἐκ τῆς
σκηνῆς, ἔφη αὐτῷ· Κύριέ μου ᾿Αβραάμ, σὺ γινώσκεις
τίς ἐστιν οὗτος ὁ ἀνήρ; εἶπεν δὲ ᾿Αβραάμ· Οὐ γι-
νώσκω. εἶπεν δὲ Σάρρα· Μιμνήσκῃ, κύριέ μου, τῶν

---

(1) ὑπολαμβάνω, ---, ὑπέλαβον, ---, ---, ---:
        take up, assume, think, suppose, reply

(2) ὁμιλία, -ας, ἡ: instruction, conversation

(3) εὐθύς, -εῖα, -ύ: (adj.) straight, right,
        upright; (adv.) immediately, at once
    ὄναρ, τό (used only in nom. and acc.): dream
    προσκαλέομαι, ---, προσεκαλεσάμην, ---, προσ-
        κέκλημαι, ---: summon, call for,
        invite

τριῶν ἀνδρῶν τῶν ἐπουρανίων τῶν ξενισθέντων ἐν ταῖς
σκηναῖς ἡμῶν παρὰ τὴν δρῦν τῆς Μαμβρῆ ὅτε ἔθυσας
τὸν μόσχον τὸν καλὸν καὶ ἔθηκας αὐτοῖς τράπεζαν;
μετὰ δὲ τὸ δεῖπνον ἠγέρθη πάλιν ὁ μόσχος καὶ ἐπο-
5 ρεύθη πάλιν πρὸς τὴν μητέρα αὐτοῦ ἀγαλλιώμενος.
οὐκ οἶδας, κύριέ μου 'Αβραάμ, ὅτι οὗτοι οἱ ἐπουρά-
νιοι ἡμῖν τὸν ἐξ ἐπαγγελίας υἱὸν τὸν 'Ισαὰκ ἔδωκαν;
ἐκ γὰρ τῶν τριῶν ἁγίων ἀνδρῶν ἐκείνων οὗτός ἐστιν
εἷς. εἶπεν δὲ 'Αβραάμ· ᾿Ω Σάρρα, τοῦτο ἀληθὲς
10 περὶ τοῦ ἐγερθέντος μόσχου καὶ περὶ τῶν τριῶν ἁγίων
ἀνδρῶν εἴρηκας. καὶ γὰρ ἐγώ, ὅτε ἔνιπτον τοὺς πό-
δας αὐτοῦ ἐν τῷ νιπτῆρι, εἶπον ἐν τῇ καρδίᾳ μου·
Οὗτοι οἱ πόδες ἑνὸς ἐκ τῶν τριῶν ἀνδρῶν εἰσιν οὓς
ἔνιψα τότε. καὶ τὰ δάκρυα αὐτοῦ ἐν τῷ νιπτῆρι πε-

---

(1) ἀγαλλιάω, ---, ἠγαλλίασα, ---, ---, ἠγαλλιάθην:
           exult, rejoice exceedingly
     μόσχος, -ου, ὁ: calf, young bull

(2) δάκρυον, -ου, τό: tear, (pl.) weeping
     μόσχος (1)

(3) δρῦς, δρυός, ἡ: oak (-NT)
     ἐπουράνιος, -ον: heavenly
     Μαμβρῆ (indecl.) ἡ: Mamre (-NT)
     μόσχος (2)
     νίπτω, ---, ἔνιψα, ---, ---, ---: wash

σόντα ἐγένοντο λίθοι τίμιοι. δοὺς δὲ τοὺς λίθους
τῇ Σάρρᾳ ἔφη· Εἰ μὴ πιστεύεις μοι, νῦν θέασαι ταῦ-
τα. λαβοῦσα δὲ αὐτὰ ἡ Σάρρα προσεκύνησεν καὶ <u>ἠγαλ-</u>
<u>λιάσατο</u> καὶ εἶπεν· Δόξα τῷ θεῷ τῷ δεικνύοντι ἡμῖν
5 <u>θαυμάσια</u>· καὶ νῦν γίνωσκε, κύριέ μου Ἀβραάμ, ὅτι
<u>ἀποκάλυψίς</u> τινος ἔργου ἐστὶν ἐν ἡμῖν. ἀ<u>π</u>ο<u>κάλυψίς</u>
ἐστιν πονηροῦ ἢ ἀποκάλυψις ἀγαθοῦ; οὐκ οἶδα.
7. <u>Καταλιπὼν</u> δὲ Ἀβραὰμ τὴν Σάρραν εἰσῆλθεν εἰς
τὸν τρίκλινον καὶ εἶπεν πρὸς Ἰσαάκ· <u>Δεῦρο</u> υἱέ
10 μου ἀγαπητέ, ἀνάγγειλόν μοι τὴν ἀλήθειαν, τί ἐώρα-
κας καὶ τί πέπονθας ὥστε οὕτω τρέχων εἰσῆλθες πρὸς
ἡμᾶς; <u>ὑ</u>π<u>ολαβὼν</u> δὲ Ἰσαὰκ εἶπεν· Εἶδον ἐγώ, κύριέ

---

(1) ἀποκάλυψις, -εως, ἡ: revelation
θαυμάσιος, -α, -ον: wonderful, admirable,
    remarkable
καταλείπω, καταλείψω, κατέλειψα and κατέλιπον,
    ---, καταλέλειμμαι, κατελείφθην: leave
    behind, give up to, abandon, (pass.)
    remain

(2) ἀγαλλιάω, ---, ἠγαλλίασα, ---, ---, ἠγαλλιάθην:
    exult, rejoice exceedingly
ἀποκάλυψις (1)
δεῦρο: come!, until now
ὑπολαμβάνω, ---, ὑπέλαβον, ---, ---, ---:
    take up, assume, think, suppose, reply

(3) ἀποκάλυψις (2)

μου, τῇ νυκτὶ ταύτῃ τὸν ἥλιον καὶ τὴν σελήνην ὑπερ-
άνω τῆς κεφαλῆς μου, καὶ τὰς ἀκτῖνας περὶ ἐμοῦ ἀ-
στράπτοντας καὶ τῷ φωτὶ ἄγοντάς με· καὶ ταῦτα οὕ-
τως ἐμοῦ θεωροῦντος καὶ ἀγαλλιωμένου, εἶδον τὸν οὐ-
5 ρανὸν ἀνεῳγότα, καὶ εἶδον ἄνδρα ἐκ τοῦ οὐρανοῦ κα-
τελθόντα φωτεινὸν ὑπὲρ ἑπτὰ ἡλίους ἀστράπτοντα ἀ-
κτῖνας ἐνδοξοτάτας καὶ ἐλθὼν ὁ ἀνὴρ ὁ τῷ ἡλίῳ ὅμοι-
ος ἐκεῖνος ἔλαβεν τὸν ἥλιον ἀπὸ τῆς κεφαλῆς μου,
καὶ ἀνῆλθεν εἰς τοὺς οὐρανοὺς ὅθεν καὶ ἐξῆλθεν·
10 ἐγὼ δὲ ἐλυπήθην μεγάλως ὅτι ἔλαβεν τὸν ἥλιον ἀπ'

94:7 ἐνδοξοτάτας (See p. 84:7 note.)

---

(1) ἀκτίς, ἀκτῖνος, ἡ: ray, beam
ἀστράπτω, ---, ---, ---, ---, ---: flash, shine
μεγάλως (adverbial form of μέγας): greatly,
    loudly (Particular contexts will require
    various other meanings.)
σελήνη, -ης, ἡ: moon
ὑπεράνω: above, high above
φωτεινός, -ή, -όν: shining, bright, full of
    light

(2) ἀκτίς (1)
ἀστράπτω (1)
ἥλιος, -ου, ὁ: sun

(3) ἀγαλλιάω, ---, ἠγαλλίασα, ---, ---, ἠγαλλιάθην:
    exult, rejoice exceedingly
ἀνοίγω, ἀνοίξω, ἀνέῳξα and ἠνέῳξα and ἤνοιξα,
    ἀνέῳγα, ἀνέῳγμαι and ἠνέῳγμαι, ἀνεῴχθην
    and ἠνεῴχθην and ἠνοίχθην: open
ἔνδοξος, -ον: honored, glorious, splendid
ἥλιος (2)

94

ἐμοῦ· καὶ μετ' <u>ὀλίγον</u> ὡς ἔτι ἐμοῦ λυπουμένου, εἶ-
δον τὸν ἄνδρα ἐκεῖνον ἐκ <u>δευτέρου</u> ἐκ τοῦ οὐρανοῦ
ἐξελθόντα· καὶ ἔλαβεν ἀπ' ἐμοῦ καὶ τὴν <u>σελήνην</u> ἐκ
τῆς κεφαλῆς μου· ἔκλαυσα δὲ <u>μεγάλως</u> καὶ παρεκάλεσα

5 τὸν ἄνδρα ἐκεῖνον τὸν <u>φωτεινὸν</u> καὶ εἶπον· Μή, κύ-
ριέ μου, μὴ ἄρῃς τὴν δόξαν μου ἀπ' ἐμοῦ, ἐλέησόν
με καὶ εἰσάκουσόν μου· καὶ <u>κἂν</u> τὸν ἥλιον ἄρῃς ἀπ'
ἐμοῦ, <u>κἂν</u> τὴν σελήνην <u>ἔασον</u> ἐπ' ἐμέ. αὐτὸς δὲ ὑπο-
λαβὼν εἶπεν· "Αφες ἀναλημφθῆναι αὐτοὺς πρὸς τὸν

10 <u>ὑπεράνω</u> βασιλέα, ὅτι θέλει αὐτοὺς ἐκεῖ. καὶ ἦρεν

95:1 Supply χρόνον with ὀλίγον.
95:2 ἐκ δευτέρου: a second time
95:7 κἂν ... κἂν ... : even if ... at least ...

---

(1) δεύτερος, -α, -ον: second
    ἐάω, ἐάσω, εἴασα, ---, ---, εἰάθην: let,
        permit, let go, leave alone
    κἂν (= καὶ ἐάν): even if, at least; κἂν ...
        κἂν ... : whether ... or ... (or) even
        if ... at least ...
    ὀλίγος, -η, -ον: little, small, short,(pl.)few

(2) κἂν (1)
    μεγάλως (adverbial form of μέγας): greatly,
        loudly (Particular contexts will require
        various other meanings.)
    σελήνη, -ης, ἡ: moon
    ὑπεράνω: above, high above
    φωτεινός, -ή, -όν: shining, bright, full of
        light

(3) σελήνη (2)

95

αὐτοὺς ἀπ' ἐμοῦ, τὰς δὲ ἀκτῖνας ἔασεν ἐπ' ἐμέ. εἶ-
πεν δὲ ὁ ἀρχιστράτηγος· "Ἄκουσον, δίκαιε 'Αβραάμ,
ὁ ἥλιος, ὃν ἑώρακεν ὁ υἱός σου, σὺ εἶ, ὁ πατὴρ αὐ-
τοῦ· καὶ ἡ σελήνη ὑπάρχει ἡ μητὴρ αὐτοῦ Σάρρα· ⁄ ὁ
5 δὲ ἀνὴρ ὁ φωτεινὸς ὁ ἐκ τοῦ οὐρανοῦ καταβάς, οὗτός
ἐστιν ὁ ἐκ τοῦ θεοῦ ἀποσταλείς, ὁ μέλλων λαβεῖν τὴν
δικαίαν σου ψυχὴν ἀπό σου. καὶ νῦν γίνωσκε, τιμι-
ώτατε 'Αβραάμ, ὅτι μέλλεις ἐν τῷ καιρῷ τούτῳ κατα-
λιπεῖν τὸν βίον τοῦτον καὶ πρὸς τὸν θεὸν ἐκδημεῖν.
10 εἶπεν δὲ 'Αβραὰμ πρὸς τὸν ἀρχιστράτηγον· ᾿Ὦ θαῦμα
θαυμάτων καινότερον. καὶ λοιπὸν σὺ εἶ ὁ μέλλων λα-

96:11 καινότερον: newest (a Hellenistic superlative

---

(1) λοιπός, -ή, -όν: (adj.) remaining, other;
         λοιπόν: (adv.) in the future, finally,
         further

(2) ἐάω, ἐάσω, εἴασα, ---, ---, εἰάθην: let,
         permit, let go, leave alone
     ἐκδημέω, ---, ἐξεδήμησα, ---, ---, ---: depart
     θαῦμα, -ατος, τό: wonder
     καταλείπω, καταλείψω, κατέλειψα and κατέλιπον,
         ---, καταλέλειμμαι, κατελείφθην: leave
         behind, give up to, abandon, (pass.)
         remain

(3) ἀκτίς, ἀκτῖνος, ἡ: ray, beam
     θαῦμα (2)
     φωτεινός, -ή, -όν: shining, bright, full of
         light

96

βεῖν τὴν ψυχήν μου ἀπ' ἐμοῦ; λέγει αὐτῷ ὁ ἀρχι-
στράτηγος· 'Εγώ εἰμι Μιχαὴλ ὁ ἀρχιστράτηγος ἐνώ-
πιον τοῦ θεοῦ, καὶ ἀπεστάλην πρός σε ὅπως ἀναγγεί-
λω σοι τὴν τοῦ θανάτου μνήμην· καὶ οὕτως ἀπελεύ-
σομαι πρὸς αὐτὸν καθὼς <u>ἐκελεύσθην</u>. καὶ εἶπεν 'Α-
βραάμ· Νῦν ἔγνωκα ἐγὼ ὅτι ἄγγελος κυρίου εἶ σύ,
καὶ ἀπεστάλης λαβεῖν τὴν ψυχήν μου· ἀλλ' οὐ μή σοι
ἀκολουθήσω· ἀλλὰ κ<u>ἂ</u>ν <u>ὅπερ</u> <u>κελεύει</u> ποίησον.

8. 'Ο δὲ ἀρχιστράτηγος ἀκούσας τὸ ῥῆμα τοῦτο, εὐ-
θέως οὐκέτι ἐφαίνετο· καὶ ἀνελθὼν εἰς τὸν οὐρανὸν
ἔστη ἐνώπιον τοῦ θεοῦ καὶ ἀνήγγειλεν πάντα ὅσα εἶ-
δεν ἐν τῷ οἴκῳ 'Αβραάμ· εἶπεν δὲ καὶ τοῦτο ὁ ἀρχι-
στράτηγος πρὸς τὸν δεσπότην ὅτι Καὶ τοῦτο λέγει ὁ
φίλος σου 'Αβραάμ ὅτι Οὐ μή σοι ἀκολουθήσω, ἀλλ'

---

(1) κελεύω, ---, ἐκέλευσα, ---, ---, ἐκελεύσθην:
     command, order, urge
     ὅσπερ, ἥπερ, ὅπερ: the very one who, exactly
     that which

(2) κελεύω (1)

(3) κἂν (=καὶ ἐάν): even if, at least; κἂν ...
     κἂν ... : whether ... or ... (or)
     even if ... at least ...

97

ὅπερ κελεύει ποίησον. νῦν δέσποτα παντοκράτωρ, εἴ
τι κελεύει ἡ σὴ δόξα καὶ ἡ βασιλεία ἡ ἀθάνατος;
εἶπεν δὲ ὁ θεὸς πρὸς τὸν ἀρχιστράτηγον Μιχαήλ· "Α-
πελθε πρὸς τὸν φίλον μου 'Αβραὰμ ἔτι ἅπαξ καὶ εἶπεν

5 αὐτῷ οὕτως ὅτι Τάδε λέγει κύριος ὁ θεός σου, ὁ
εἰσαγαγών σε εἰς τὴν γῆν τῆς ἐπαγγελίας, ὁ εὐλογή-
σας σε ὑπὲρ τὴν ἄμμον τῆς θαλάσσης καὶ ὑπὲρ τοὺς
ἀστέρας τοὺς ἀστράπτοντας ἐν τῷ οὐρανῷ ὁ χαρισάμε-
νός σοι τὸν 'Ισαάκ· 'Αμὴν λέγω σοι ὅτι εὐλογῶν εὐ-

10 λογήσω σε καὶ πληθύνων πληθυνῶ τὸ σπέρμα σου, καὶ

---

(1) ἀθάνατος, -ον: immortal
     ἅπαξ: once, one time, once for all
     εἰσάγω, ---, εἰσῆγαγον, ---, ---, ---: bring
         into, lead into
     παντοκράτωρ, -ορος, ὁ: ruler of all, the al-
         mighty
     πληθύνω, πληθυνῶ, ---, ---, ---, ἐπληθύνθην:
         (act.) increase, multiply;(pass.)increase

(2) εἰ: (used as a sign of a question here)
     ὅσπερ, ἥπερ, ὅπερ: the very one who, exactly
         that which
     πληθύνω (1)

(3) ἄμμος, -ου, ἡ: sand
     ἀστήρ, ἀστέρος, ὁ: star
     ἀστράπτω, ---, ---, ---, ---, ---: flash,shine
     κελεύω, ---, ἐκέλευσα, ---, ---, ἐκελεύσθην:
         command, order, urge
     χαρίζομαι, χαρίσομαι and χαριοῦμαι, ἐχαρισάμην,
         ---, κεχάρισμαι, ἐχαρίσθην: give freely,
         forgive, pardon, show oneself gracious

98

δώσω σοι πάντα ὅσα ἂν αἰτήσῃς παρ' ἐμοῦ, ὅτι ἐγώ
εἰμι κύριος ὁ θεός σου, καὶ πλὴν ἐμοῦ οὐκ ἔστιν ἄλ-
λος· σὺ δὲ τί <u>ἀνθέστηκας</u> ἐμοὶ καὶ τί ἐν σοὶ λύπῃ,
ἀνάγγειλον· καὶ τί <u>ἀνθέστηκας</u> τῷ ἀρχαγγέλῳ μου Μι-
5 χαήλ; ἢ οὐκ οἶδας ὅτι ἀπ' <u>Ἀδὰμ</u> πάντες ἀπέθανον;
καὶ οὐδεὶς ἐκ τῶν προφητῶν τὸν θάνατον <u>ἐξέφευγεν·</u>
καὶ οὐδεὶς ἐκ τῶν βασιλέων ὑπάρχει <u>ἀθάνατος·</u> οὐ-
δεὶς ἐκ τῶν πατέρων <u>ἐξέφευγεν</u> τὸ τοῦ θανάτου μυστή-
ριον· πάντες ἀπέθανον, πάντας εἰς τὸν <u>ᾅδην</u> ὁ θάνα-
10 τος <u>εἰσήγαγεν</u>, πάντες τῷ τοῦ θανάτου <u>δρεπάνῳ</u> συν-
άγονται· ἐπὶ δέ σε οὐκ ἀπέστειλα θάνατον, οὐκ εἴ-

---

(1) Ἀδάμ (indecl.) ὁ: Adam
     ᾅδης, -ου, ὁ: Hades, underworld
     ἀνθίστημι, ---, ἀντέστην, ἀνθέστηκα, ---, ἀν-
        τεστάθην: set against, oppose, resist,
        withstand
     ἐκφεύγω, ἐκφεύξομαι, ἐξέφευγον, ἐκπέφευγα,
        ---, ---: flee away, escape

(2) ἀθάνατος, -ον: immortal
     ἀνθίστημι (1)
     δρέπανον, -ου, τό: sickle, reaping hook,
        pruning hook
     εἰσάγω, ---, εἰσήγαγον, ---, ---, ---: bring
        into, lead into
     ἐκφεύγω (1)

(3) ἐάω, ἐάσω, εἴασα, ---, ---, εἰάθην: let,
        permit, let go, leave alone

99

ασα νόσον <u>θανατηφόρον</u> ἐπί σε ἐλθεῖν, οὐ δὲ σὲ εἰς

τὸν <u>ᾅδην</u> τὸ τοῦ θανάτου <u>δρέπανον</u> συνήγαγεν. ἀλλὰ

τὸν ἐμὸν ἀρχιστράτηγον Μιχαὴλ ἀπέστειλα πρός σε,

ἵνα γνῷς τὴν ἐκ τοῦ κόσμου ὁδόν, καὶ γένηταί σοι

5   διαθήκη περὶ τοῦ οἴκου σου, καὶ ὅπως εὐλογήσῃς τὸν

Ἰσαὰκ τὸν υἱόν σου τὸν ἀγαπητόν. καὶ νῦν γνώρισον

ὅτι μὴ θέλων λυπῆσαί σε ταῦτα πεποίηκα. καὶ τί εἶ-

πας πρὸς ἀρχιστράτηγόν μου ὅτι Οὐ μή σοι ἀκολουθή-

σω; τί ταῦτα εἴρηκας; καὶ οὐκ οἶδας ὅτι ἐὰν ἐάσω

10   τὸν θάνατον ἐπί σε ἐλθεῖν, τότε ὄψομαι ἐάν τε ἔρχῃ

ἐάν τε μὴ ἔρχῃ.

9.   Λαβὼν δὲ ὁ ἀρχιστράτηγος τὰς ἐντολὰς τοῦ κυ-

ρίου κατῆλθεν πρὸς τὸν Ἀβραάμ· καὶ ἰδὼν αὐτὸν ὁ

δίκαιος ἔπεσεν ἐπὶ πρόσωπον εἰς τὴν γῆν ὡς νεκρός,

100:10 ἐάν τε ἔρχῃ ἐάν τε μὴ ἔρχῃ: whether you come
or whether you do not come

---

(1)   θανατηφόρος, -ον: death-bringing, fatal,
         deadly, mortal

(2)   ᾅδης, -ου, ὁ: Hades, underworld

(3)   δρέπανον, -ου, τό: sickle, reaping hook,
         pruning hook

ὁ δὲ ἀρχιστράτηγος εἶπεν αὐτῷ πάντα ὅσα ἤκουσεν πα-
ρὰ τοῦ ὑψίστου. τότε οὖν ὁ ὅσιος καὶ δίκαιος Ἀ-
βραὰμ ἀναστὰς μετὰ πολλῶν δακρύων προσέπεσεν τοῖς
ποσὶν τοῦ ἀσωμάτου λέγων· Δέομαί σου, ἀρχιστράτηγε
5 τῶν ἄνω δυνάμεων, ἐπειδὴ αὐτὸς πρὸς ἐμὲ ἁμαρτωλὸν
κατελήλυθας, παρακαλῶ σε μεγάλως καὶ νῦν, ἀρχιστρά-
τηγε, φέρειν μοι λόγον ἔτι ἅπαξ πρὸς τὸν ὕψιστον,
καὶ ἐρεῖς αὐτῷ ὅτι Τάδε λέγει Ἀβραὰμ ὁ δοῦλός σου
ὅτι Κύριε, κύριε, ἐν παντὶ ὃ ᾐτησάμην σε εἰσήκουσάς
10 μου, καὶ πᾶν τὸ θέλημά μου ἐπλήρωσας καὶ τὰ πράγ-

---

(1) ἁμαρτωλός, -όν: (adj.) sinful; (subst.)
        sinner
    ἄνω: above, upwards, up
    ἐπειδή: (temporal) when now, after that;
        (causal) since, because
    ὕψιστος, -η, -ον: highest

(2) ἅπαξ: once, one time, once for all
    ὅσιος, -α, -ον: devout, pious, holy
    προσπίπτω, ---, προσέπεσον and προσέπεσα,
        ---, ---, ---: fall down before, fall
        upon, beat against
    ὕψιστος (1)

(3) δάκρυον, -ου, τό: tear, (pl.) weeping
    μεγάλως (adverbial form of μέγας): greatly,
        loudly (Particular contexts will
        require various other meanings.)

ματά μου ἐπλήθυνας· καὶ νῦν, κύριε, οὐκ ἀνθίσταμαι

τῷ σῷ κράτει, ὅτι κἀγὼ γινώσκω ὅτι οὐκ εἰμὶ ἀθάνα-

τος. ἐπειδὴ οὖν τῇ σῇ ἐντολῇ πάντα πείθεται καὶ

φρίσσει τὴν ἄνω δύναμίν σου, κἀγὼ φοβέομαι. καὶ

5   νῦν, δέσποτα κύριε, εἰσάκουσόν μου τῆς μιᾶς δεή-

σεως ταύτης. εἰ ἔτι ἐν τούτῳ τῷ σώματι ὢν δύναμαι

ἰδεῖν πᾶσαν τὴν οἰκουμένην; εἰ ἐάσεις ἐμὲ θεᾶσθαι

πάντα ἃ διὰ τοῦ λόγου σου ἐποίησας; καὶ ὅταν ἴδω

ταῦτα, δέσποτα, τότε ἐὰν μεταβῶ ἀπὸ τούτου τοῦ βίου,

10 οὐ λυπηθήσομαι. ἀπῆλθεν οὖν πάλιν ὁ ἀρχιστράτηγος

εἰς τὸν οὐρανόν, ὅπου ἐστὶν ὁ θρόνος τοῦ θεοῦ, καὶ

---

(1) δέησις, -εως, ἡ: entreaty, prayer
     θρόνος, -ου, ὁ: throne, dominion
     φρίσσω, ---, ἔφριξα, πέφρικα, ---, ---: shudder,
         shudder at

(2) ἄνω: above, upwards, up
     ἐπειδή: (temporal) when now, after that,
         (causal) since, because
     κράτος, -ους, τό: power, might, strength, rule
     οἰκουμένη, -ης, ἡ: inhabited earth, world

(3) ἀθάνατος, -ον: immortal
     ἀνθίστημι, ---, ἀντέστην, ἀνθέστηκα, ---, ἀν-
         τεστάθην: set against, oppose, resist,
         withstand
     εἰ: (used as a sign of a question in this
         context)
     ὅπου: where
     πληθύνω, πληθυνῶ, ---, ---, ---, ἐπλύνθην:
         (act.) increase, multiply; (pass.) increase

ἔστη ἐνώπιον τοῦ θεοῦ καὶ ἀνήγγειλεν αὐτῷ πάντα,

λέγων· Τάδε λέγει ὁ φίλος σου 'Αβραάμ, εἰ ἐάσεις

ἐμὲ θεᾶσθαι πᾶσαν τὴν οἰκουμένην ἐν τῇ ζωῇ μου,

πρὸ τοῦ ἀποθανεῖν με; ἀκούσας δὲ ταῦτα ὁ ὕψιστος

5 πάλιν κελεύει τῷ ἀρχιστρατήγῳ Μιχαὴλ καὶ λέγει αὐ-

τῷ· Λάβε νεφέλην φωτός, καὶ ἀγγέλους τοὺς ἐπὶ τῶν

ἀρμάτων τὴν ἐξουσίαν ἔχοντας, καὶ κατελθὼν λάβε

τὸν δίκαιον 'Αβραὰμ ὅπου ἂν βούληται ἔρχεσθαι. ἰδοὺ

νῦν ἔχεις τὴν ἐξουσίαν. ὕψωσον αὐτὸν ἐν ἅρματι με-

10 γάλως ὑπεράνω τῆς γῆς ὅπως ἴδῃ πᾶσαν τὴν οἰκουμένην.

10. Καὶ κατελθὼν ὁ ἀρχάγγελος Μιχαὴλ ἔλαβεν τὸν

'Αβραὰμ ἐφ' ἅρματος καὶ ὕψωσον αὐτὸν μεγάλως ὑπερ-

άνω τῆς γῆς καὶ ἤγαγεν αὐτὸν ἐπὶ τὴν νεφέλην καὶ

ἐξήκοντα ἀγγέλους καὶ ἀνήρχετο ὁ 'Αβραὰμ ἐφ' ἅρμα-

---

(1) ἅρμα, -ατος, τό: chariot, war chariot

(2) ἅρμα (1)
ἐξουσία, -ας, ἡ: ability, power, authority,
        government

(3) ἅρμα (2)
ἐξουσία (2)
οἰκουμένη, -ης, ἡ: inhabited earth, world
ὑπεράνω: above, high above
ὕψιστος, -η, -ον: highest

τος ἐφ’ ὅλην τὴν οἰκουμένην. καὶ θεωρεῖ ᾿Αβραὰμ
τὸν κόσμον καθὼς εἶχεν τῇ ἡμέρᾳ ἐκείνῃ. εἶδεν πολ-
λοὺς ποιοῦντας πολλὰ ἐν πολλοῖς τόποις. καὶ ἁπλῶς
εἰπεῖν, εἶδεν πάντα τὰ ἐν τῷ κόσμῳ γινόμενα, ἀγαθά

5   τε καὶ πονηρά. ὁ δὲ ᾿Αβραὰμ ἐδεήθη τὸν θάνατον τῶν
ἁμαρτωλῶν. καὶ ὁ κύροις εἰσήκουσεν τῆς φωνῆς αὐτοῦ.
τὰ μὲν θηρία κατέφαγόν τινας· ἡ δὲ γῆ κατέπιε ἑτέ-
ρους· πῦρ δὲ ἐκ τοῦ οὐρανοῦ κατέφαγεν ἑτέρους.
οὐδ’ ἠλέει τοὺς ἁμαρτωλοὺς ἁπλῶς ὁ δίκαιος ᾿Αβραάμ.

10 ἀλλ’ ἐπειδὴ τὰ θηρία κατέφαγόν τινας καὶ ἡ γῆ κατέ-
πιε ἑτέρους καὶ τὸ πῦρ κατέφαγεν ἑτέρους, εὐθέως
ἦλθεν φωνὴ ἐκ τοῦ ἄνω οὐρανοῦ πρὸς τὸν ἀρχιστράτη-

---

(1)   ἁπλῶς: sincerely, simply, in a word
     ἕτερος, -α, -ον: other, another
     καταπίνω, ---, κατέπιον, ---, ---, κατεπόθην:
         drink down, swallow up, devour
     κατεσθίω, καταφάγομαι, κατέφαγον, ---, ---,
         ---: eat up, consume, devour, destroy

(2)   ἁμαρτωλός, -όν: (adj.) sinful; (subst.)
        sinner
     ἁπλῶς (1)
     ἕτερος (1)
     καταπίνω (1)
     κατεσθίω (1)

(3)   ἁμαρτωλός (2)
     ἄνω: above, upwards, up
     ἕτερος (2)
     κατεσθίω (2)

γον, λέγων οὕτως· Κέλευσον, ὦ Μιχαὴλ ἀρχιστράτηγε,
στῆναι τὸ ἅρμα, ἀνάγαγε τὸν 'Αβραάμ, ἵνα μὴ ἴδῃ πᾶ-
σαν τὴν οἰκουμένην. ἐὰν γὰρ ἴδῃ πάντας τοὺς ἐν ἁ-
μαρτίᾳ περιπατοῦντας, ἀπολέσει πᾶν. ἰδοὺ γὰρ ὁ 'Α-
5 βραὰμ οὐχ ἥμαρτεν, καὶ τοὺς ἁμαρτωλοὺς οὐκ ἐλεεῖ.
ἐγὼ δὲ ἐποίησα τὸν κόσμον, καὶ οὐ θέλω ἀπολέσαι ἐξ
αὐτῶν οὐδένα, θέλω δὲ τὸν ἁμαρτωλὸν ἐπιστρέψαι καὶ
ζῆν. ἀνάγαγε δὲ τὸν 'Αβραὰμ εἰς τὴν πρώτην πύλην
τοῦ οὐρανοῦ, ὅπως θεάσηται ἐκεῖ τὰς κρίσεις καὶ
10 ἀνταποδόσεις, καὶ σχῇ μετάνοιαν εἰς τὰς ψυχὰς τῶν
ἁμαρτωλῶν ἃς ἀπώλεσεν.
11. 'Ανήγαγεν δὲ Μιχαὴλ τὸ ἅρμα καὶ τὸν 'Αβραὰμ
εἰς τὴν πύλην τὴν πρώτην τοῦ οὐρανοῦ. καὶ εἶδεν

105:10 σχῇ μετάνοιαν εἰς: he may change his mind
about

---

(1) ἀνάγω, ---, ἀνήγαγον, ---, ---, ἀνήχθην: lead
        up, bring up, put out to sea
    ἀνταπόδοσις, -εως, ἡ: repayment, reward,
        recompense
    πύλη, -ης, ἡ: gate, door

(2) ἀνάγω (1)
    πύλη (1)

(3) ἀνάγω (2)

'Αβραὰμ δύο ὁδούς· ἡ μία ὁδὸς στενὴ καὶ ἡ ἑτέρα

πλατεῖα, καὶ εἶδεν ἐκεῖ δύο πύλας· μία πύλη πλα-

τεῖα κατὰ τῆς πλατείας ὁδοῦ, καὶ μία πύλη στενὴ

κατὰ τῆς στενῆς ὁδοῦ· ἐγγὺς δὲ τῶν δύο πύλων εἶδεν

5 ἄνδρα καθήμενον ἐπὶ θρόνου χρυσοῦ· καὶ ἦν τὸ πρό-

σωπον τοῦ ἀνθρώπου ἐκείνου φοβερόν, ὅμοιον τῷ δε-

σπότη· καὶ ἐγγὺς τοῦ θρόνου εἶδεν ψυχὰς πολλὰς

ἀναγκαζομένας ὑπὸ ἀγγέλων καὶ διὰ τῆς πλατείας πύ-

λης εἰσαγομένας, καὶ εἶδεν ἄλλας ψυχὰς ὀλίγας καὶ

10 ἐφέροντο ὑπὸ ἀγγέλων διὰ τῆς στενῆς πύλης. καὶ ὅτε

---

(1) πλατύς, -εῖα, -ύ: broad, wide
    στενός, -ή, -όν: narrow
    χρυσοῦς, -ῆ, -οῦν: golden, made of gold,
        covered with gold

(2) ἐγγύς: near
    θρόνος, -ου, ὁ: throne, dominion
    ὀλίγος, -η, -ον: little, small, short, (pl.)
        few
    πλατύς (1)
    στενός (1)

(3) ἐγγύς (2)
    εἰσάγω, ---, εἰσήγαγον, ---, ---, ---: bring
        into, lead into
    θρόνος (2)
    πλατύς (2)
    πύλη, -ης, ἡ: gate, door
    στενός (2)

ἐθεώρει ὁ θαυμάσιος ὁ ἐπὶ τοῦ χρυσοῦ θρόνου καθή-
μενος διὰ τῆς στενῆς πύλης ὀλίγας εἰσερχομένας, διὰ
δὲ τῆς πλατείας πύλης πολλὰς εἰσερχομένας, εὐθὺς ὁ
ἀνὴρ ἐκεῖνος ὁ θαυμάσιος ἥρπαξεν τὰς τρίχας τῆς κε-
5 φαλῆς αὐτοῦ καὶ ἔρριψεν ἑαυτὸν χαμαὶ ἀπὸ τοῦ θρόνου
κλαίων καὶ ὀδυρόμενος· καὶ ὅτε ἐθεώρει πολλὰς ψυ-
χὰς εἰσερχομένας διὰ τῆς στενῆς πύλης, τότε ἀνίστα-
το ἀπὸ τῆς γῆς καὶ ἐκαθέζετο ἐπὶ τοῦ χρυσοῦ θρόνου
αὐτοῦ χαίρων καὶ ἀγαλλιώμενος. ἠρώτησεν οὖν ὁ Ἀ-
10 βραὰμ τὸν ἀρχιστράτηγον· Κύριέ μου ἀρχιστράτηγε,

---

(1) ἁρπάζω, ἁρπάσω, ἥρπασα, ---, ---, ἡρπάσθην
       and ἡρπάγην: snatch away, seize, carry
       off, tear out
     θρίξ, τριχός, ἡ: hair
     ὀδύρομαι, ---, ---, ---, ---, ---: mourn,
       lament
     χαμαί: on the ground, to the ground

(2) θαυμάσιος, -α, -ον: wonderful, admirable,
       remarkable
     χρυσοῦς, -ῆ, -οῦν: golden, made of gold,
       covered with gold

(3) θαυμάσιος (2)
     ὀλίγος, -η, -ον: little, small, short, (pl.)
       few
     χρυσοῦς (2)

107

τίς ἐστιν οὗτος ὁ ἀνὴρ ὁ θαυμάσιος, ὃς ποτε μὲν
κλαίει καὶ ὀδύρεται ἁρπάζων τὰς τρίχας τῆς κεφαλῆς
αὐτοῦ καὶ ῥίπτων ἑαυτὸν χαμαί, ποτὲ δὲ χαίρει καὶ
ἀγαλλιᾶται; εἶπεν δὲ ὁ ἀσώματος· Οὗτός ἐστιν ὁ
5 πρωτόπλαστος Ἀδάμ, ἐξ οὗ πάντες ἐγένοντο. ὅταν
ἴδῃ ψυχὰς πολλὰς εἰσερχομένας διὰ τῆς στενῆς πύλης,
τότε ἀνίσταται καὶ κάθηται ἐπὶ τοῦ χρυσοῦ θρόνου
αὐτοῦ ἐγγὺς τῶν δύο πυλῶν χαίρων καὶ ἀγαλλιώμενος,
διότι ἡ στενὴ πύλη εἰς τὸν παράδεισον εἰσάγει· καὶ

108:1 ποτε μὲν κλαίει ... ποτὲ δὲ χαίρει ... : nc⌐
weeps ... now rejoices, (or) at times weeps ... at
times rejoices..

---

(1) διότι: because, therefore, for, that
     ποτέ (enclitic): at some time or other, for-
        merly, once; ποτὲ μὲν ... ποτὲ δέ ... :
        at one time ... at another; now ... now;
        sometimes ... sometimes
     πρωτόπλαστος, -ον: first-molded, first-created
        (-NT)

(2) Ἀδάμ (indecl.) ὁ: Adam
     ἁρπάζω, ἁρπάσω, ἥρπασα, ---, ---, ἡρπάσθην and
        ἡρπάγην: snatch away, seize, carry off,
        tear out
     θρίξ, τριχός, ἡ: hair
     ὀδύρομαι, ---, ---, ---, ---, ---: mourn,
        lament
     παράδεισος, -ου, ὁ: paradise
     ποτέ (1)
     χαμαί: on the ground, to the ground

διὰ τοῦτο χαίρει ὁ πρωτόπλαστος 'Αδάμ, διότι θεωρεῖ
τὰς ψυχὰς σωζομένας. ἀλλ' ὅταν ἴδῃ ψυχὰς πολλὰς
εἰσερχομένας διὰ τῆς πλατείας πύλης, τότε ἁρπάζει
τὰς τρίχας αὐτοῦ καὶ ῥίπτει ἑαυτὸν χαμαὶ κλαίων καὶ
5 ὀδυρόμενος πικρῶς, διότι ἡ πλατεῖα πύλη εἰσάγει,
οὐκ εἰς τὸν παράδεισον, ἀλλ' εἰς τὴν ἀπώλειαν καὶ
εἰς τὴν κόλασιν τὴν αἰώνιον. διὰ τοῦτο ὁ πρωτόπλα-
στος 'Αδάμ ποτὲ μὲν χαίρει, ποτὲ δὲ κλαίει πικρῶς,

---

(1) ἀπώλεια, -ας, ἡ: destruction, waste, ruin

(2) διότι: because, therefore, for, that
    πικρός, -ά, -όν: bitter, harsh; πικρῶς:
        bitterly
    πρωτόπλαστος, -ον: first-molded, first-
        created (-NT)

(3) 'Αδάμ (indecl.) ὁ: Adam
    ἁρπάζω, ἁρπάσω, ἥρπασα, ---, ---, ἡρπάσθην and
        ἡρπάγην: snatch, seize, carry off, tear
        out
    διότι (2)
    θρίξ, τριχός, ἡ: hair
    ὀδύρομαι, ---, ---, ---, ---, ---: mourn,
        lament
    παράδεισος, -ου, ὁ: paradise
    ποτέ (enclitic): at some time or other, for-
        merly, once; ποτὲ μὲν ... ποτὲ δὲ ... :
        at one time ... at another; now ... now;
        sometimes ... sometimes
    πικρός (2)
    πρωτόπλαστος (2)
    χαμαί: on the ground, to the ground

διότι πολλοὶ εἰς τὴν αἰώνιον ἀπώλειαν ἀπέρχονται,
ὀλίγοι δὲ ἀπὸ τῆς ἀπωλείας σώζονται.

12. Ἔτι δὲ τοῦ ἀρχιστρατήγου ταῦτα λαλοῦντος, ἰ-
δοὺ δύο ἄγγελοι πύρινοι τῇ ὄψει καὶ ἀνέλεοι τῇ κρί-
σει καὶ ἀπότομοι τῷ βλέμματι ἐπετίθεσαν ἐπὶ μυρίαις
ψυχαῖς ἀνελέους πληγὰς πυρίναις ῥάβδοις· καὶ μίαν
ψυχὴν ἐκράτει εἷς τῶν δύο ἀγγέλων· καὶ οἱ δύο ἠ-
νάγκαζον πάσας τὰς λοιπὰς ψυχὰς εἰς τὴν πλατεῖαν
πύλην πρὸς ἀπώλειαν. ἠκολούθησαν οὖν Ἀβραὰμ καὶ
Μιχαὴλ τοῖς ἀγγέλοις καὶ ἦλθον διὰ τῆς πύλης ἐκεί-
νης πλατείας. καὶ ἐν μέσῳ τῶν δύο πυλῶν ἵστατο
θρόνος φοβερὸς ἀστράπτων ὡς πῦρ. καὶ ἐπ' αὐτῷ ἐκά-
θητο ἀνὴρ πάνυ θαυμάσιος ὅμοιος τῷ ἡλίῳ ὅμοιος υἱῷ
θεοῦ. ἔμπροσθεν δὲ αὐτοῦ ἵστατο τράπεζα χρυσῆ·

---

(1) ἀνέλεος, -ον: merciless
ἀπότομος, -ον: harsh, rough
βλέμμα, -ατος, τό: glance, look
ὄψις, -εως, ἡ: outward appearance, face
πύρινος, -η, -ον: fiery

(2) ἀνέλεος (1)
ἀπώλεια, -ας ἡ: destruction, waste, ruin
λοιπός, -ή, -όν: (adj.) remaining, other; λοι-
πόν (adv.) in the future, finally, further
πύρινος (1)

(3) ἀπώλεια (2)

110

ἐπάνω δὲ τῆς τραπέζης ἦν βιβλίον κείμενον. ἐκ δε-
ξιῶν δὲ αὐτῆς καὶ ἐξ ἀριστερῶν ἵσταντο δύο ἄγγελοι
ἕτοιμοι ἀπογράφεσθαι. πρὸ δὲ τῆς τραπέζης ἐκάθητο
ἄγγελος φωτεινός, κρατῶν ἐν τῇ χειρὶ αὐτοῦ ζυγόν.
5 × ἐξ ἀριστερῶν δὲ ἐκάθητο ἄγγελος πύρινος, πῦρ κατέ-
χων, πάνυ ἀνέλεος, καὶ ἀπότομος. καὶ ὁ μὲν ἀνὴρ
ὁ θαυμάσιος ὁ καθήμενος ἐπὶ τοῦ θρόνου αὐτὸς ἔκρι-
νεν τὰς ψυχάς. οἱ δὲ δύο ἄγγελοι οἱ ἐκ δεξιῶν καὶ
ἀριστερῶν ἀπεγράφοντο. ὁ μὲν ἐκ δεξιῶν ἀπεγράφετο

---

(1) ἀπογράφω, ---, ἀπεγραψάμην, ---, ἀπογέγραμμαι,
       ---: register, enroll
    ἀριστερός, -ά, -όν: left, on the left
    βιβλίον, -ου, τό: book, scroll, document
    ζυγός, -οῦ, ὁ: yoke, balance, pair of scales
    κατέχω, ---, κατέσχον, ---, ---, ---: hold
       back, hinder, restrain, hold fast,
       retain, possess
    κρίνω, κρινῶ, ἔκρινα, κέκρικα, κέκριμαι, ἐκρί-
       θην: judge, determine, decide, condemn,
       go to law

(2) ἀπογράφω (1)
    ἀπότομος, -ον: harsh, rough
    ἀριστερός (1)

(3) ἀνέλεος, -ον: merciless
    ἀπογράφω (2)
    ἀριστερός (2)
    πύρινος, -η, -ον: fiery

111

τὰς δικαιοσύνας, ὁ δὲ ἐξ ἀριστερῶν τὰς ἁμαρτίας·
καὶ ὁ μὲν πρὸ τῆς τραπέζης, ὁ τὸν <u>ζυγὸν</u> <u>κατέχων</u>,
τὰς ψυχὰς ἐν τῷ ζυγῷ ἐδοκίμαζεν. καὶ ἠρώτησεν ᾿Α-
βραὰμ τὸν ἀρχιστράτηγον Μιχαήλ· Τί ἐστιν ταῦτα ἃ
5 θεωροῦμεν ἡμεῖς; καὶ εἶπεν ὁ ἀρχιστράτηγος· Ταῦ-
τα ἅπερ βλέπεις, ὅσιε ᾿Αβραάμ, ἔστιν ἡ κρίσις καὶ
<u>ἀνταπόδοσις</u>. καὶ ἰδοὺ ὁ ἄγγελος ὁ κρατῶν ταύτην
τὴν ψυχὴν ἐν τῇ χειρὶ αὐτοῦ ἤνεγκεν αὐτὴν ἔμπροσθεν
τοῦ κριτοῦ. καὶ εἶπεν ὁ κριτὴς ἑνὶ τῶν ἀγγέλων τῶν
10 ἔμπροσθεν αὐτοῦ· ῎Ανοιξόν μοι τὸ <u>βιβλίον</u> τοῦτο καὶ
εὑρέ μοι τὰς ἁμαρτίας τῆς ψυχῆς ταύτης. καὶ ἀνοί-
ξας τὸ βιβλίον εὗρεν τὰς ἁμαρτίας <u>ἴσας</u> ταῖς δικαι-

---

(2) ἀνταπόδοσις, -εως, ἡ: repayment, reward,
         recompense
     βιβλίον, -ου, τό: book scroll, document
     ζυγός, -οῦ, ὁ: yoke, balance, pair of scales
     ἴσος, -η, -ον: equal, same, consistent;
         ἴσον: equally, in the same way
     κατέχω, ---, κατέσχον, ---, ---, ---: hold
         back, hinder, restrain, hold fast, re-
         tain, possess

(3) βιβλίον (2)
     ζυγός (2)
     ὅσπερ, ἥπερ, ὅπερ: the very one who, exactly
         that which

οσύναις, καὶ οὔτε ταῖς βασάνοις ἐν τῷ ᾅδῃ οὔτε τῇ

χαρᾷ ἐν τῷ παραδείσῳ αὐτὴν ἔδωκεν, ἀλλ᾽ ἔστησεν αὐ-

τὴν εἰς τὸ μέσον.

13. Καὶ εἶπεν ᾿Αβραάμ· Κύριέ μου ἀρχιστράτηγε,

5   τίς ἐστιν οὗτος ὁ κριτὴς ὁ πάνυ θαυμάσιος; καὶ τί-

νες οἱ ἄγγελοι οἱ ἀπογραφόμενοι; καὶ τίς ὁ ἄγγελος

ὁ τῷ ἡλίῳ ὅμοιος ὁ τὸν ζυγὸν κατέχων; καὶ τίς ὁ

ἄγγελος ὁ πύρινος ὁ τὸ πῦρ κατέχων; εἶπεν δὲ ὁ ἀρ-

χιστράτηγος· Θεωρεῖς, πάνυ ὅσιε ᾿Αβραάμ, τὸν ἄνδρα

10 τὸν φοβερὸν τὸν ἐπὶ τοῦ θρόνου καθήμενον; οὗτός

ἐστιν ὁ καλὸς υἱὸς τοῦ ᾿Αδὰμ τοῦ πρωτοπλάστου ὃν

ἀπέκτεινεν ὁ πονηρὸς υἱός· καὶ κάθηται ὧδε κρῖναι

πᾶσαν τὴν κτίσιν, δικαίους καὶ ἁμαρτωλούς· διότι

εἶπεν ὁ θεός· ᾿Εγὼ οὐ κρινῶ ὑμᾶς, ἀλλὰ πᾶς ἄνθρω-

---

(1) κτίσις, -εως, ἡ: creation, act of creation,
      thing created, creature, world

(2) κρίνω, κρινῶ, ἔκρινα, κέκρικα, κέκριμαι, ἐκρί-
      θην: judge, determine, decide, condemn,
      go to law

(3) ᾅδης, -ου, ὁ: Hades, underworld
      κατέχω, ---, κατέσχον, ---, ---, ---: hold
      back, hinder, restrain, hold fast,
      retain, possess
      κρίνω (2)
      οὔτε: and not

πος ἐξ ἀνθρώπου κριθήσεται· τούτου χάριν τῷ καλῷ
υἱῷ τοῦ ᾿Αδὰμ δέδωκεν κρίσιν, κρῖναι τὸν κόσμον ἕως
τῆς μεγάλης καὶ ἐνδόξου αὐτοῦ παρουσίας· καὶ τότε,
δίκαιε ᾿Αβραάμ, γίνεται τελεία κρίσις καὶ ἀνταπό-
5 δοσις αἰωνία, ᾗ οὐδεὶς δύναται ἀνθιστάναι· πᾶς γὰρ
→ ἄνθρωπος ἐκ τοῦ πρωτοπλάστου γεγένηται, καὶ διὰ
τοῦτο πάντες ὧδε πρῶτον ἐκ τοῦ υἱοῦ αὐτοῦ κρίνονται·
καὶ ἐν τῇ δευτέρᾳ παρουσίᾳ κριθήσονται ὑπὸ τῶν δώ-
δεκα υἱῶν τοῦ ᾿Ισραήλ, καὶ πᾶν πνεῦμα καὶ πᾶσα κτί-
10 σις. τὸ δὲ τρίτον, ὑπὸ τοῦ δεσπότου θεοῦ τῶν πάν-
των λοιπὸν κριθήσονται. ἡ τρίτη κρίσις ἐκείνη ἐγ-
γύς, φοβερὰ κρίσις, ἣν οὐδεὶς ἐκφυγεῖν δύναται.
οἱ δὲ δύο ἄγγελοι ὁ ἐκ δεξιῶν καὶ ὁ ἐξ ἀριστερῶν,
οὗτοί εἰσιν οἱ ἀπογραφόμενοι τὰς ἁμαρτίας καὶ τὰς

---

(2) δεύτερος, -α, -ον: second
     κτίσις, -εως, ἡ: creation, act of creation,
          thing created, creature, world
     τρίτος, -η, -ον: third

(3) ἀνταπόδοσις, -εως, ἡ: repayment, reward,
          recompense
     ἐκφεύγω, ἐκφεύξομαι, ἐξέφυγον, ἐκπέφευγα, ---,
          ---: flee away, escape
     λοιπός, -ή, -όν: (adj.) remaining, other; λοι-
          πόν: (adv.) in the future, finally,
          further
     τρίτος (2)

δικαιοσύνας· ὁ μὲν ἐκ δεξιῶν ἀπογράφεται τὰς δι-
καιοσύνας, ὁ δὲ ἐξ ἀριστερῶν τὰς ἁμαρτίας. ὁ δὲ
τῷ ἡλίῳ ὅμοιος ἄγγελος, ὁ τὸν ζυγὸν κατέχων ἐν τῇ
χειρὶ αὐτοῦ, οὗτός ἐστιν ὁ ἀρχάγγελος ὁ δίκαιος ὁ
5 δοκιμάζων τὰς δικαιοσύνας καὶ τὰς ἁμαρτίας ἐν τῇ
δικαιοσύνῃ θεοῦ. ὁ δὲ πύρινος καὶ ἀνέλεος ἄγγελος,
ὁ κατέχων ἐν τῇ χειρὶ αὐτοῦ τὸ πῦρ, οὗτός ἐστιν ὁ
ἀρχάγγελος ὁ ἐπὶ τοῦ πυρὸς ἔχων τὴν ἐξουσίαν, καὶ
δοκιμάζει τὰ τῶν ἀνθρώπων ἔργα διὰ πυρός· καὶ εἴ
10 τινος τὸ ἔργον ἀπώλεσεν τὸ πῦρ, εὐθὺς λαμβάνει ὁ
ἄγγελος τῆς κρίσεως αὐτὸν κἂν πλούσιον κἂν πένητα
εἰς τὸν τόπον τῶν ἁμαρτωλῶν, εἰς πικροτάτην κόλασιν.
εἴ τινος δὲ τὸ ἔργον τὸ πῦρ δοκιμάσει καὶ μὴ ἅψεται
αὐτοῦ, οὗτος ἔχει γνήσιαν δικαιοσύνην. αὐτὸν ὁ τῆς
15 δικαιοσύνης ἄγγελος ἀνάγει εἰς τὸ σώζεσθαι ἐν τῷ

115:12 πικροτάτην: most bitter, very bitter (Su-
perlative acc. fem.sing. of πικρός)

---

(2) γνήσιος, -α, -ον: legitimate, genuine

(3) πένης, -ητος: poor, (subst.) poor man
    πλούσιος, -α, -ον: rich, wealthy

κλήρῳ τῶν δικαίων. καὶ οὕτως, δικαιότατε ᾿Αβραάμ,
πάντα τὰ ἔργα ἐν πᾶσιν τοῖς ἀνθρώποις ἐν πυρὶ καὶ
ζυγῷ δοκιμάζονται.

14. Εἶπεν δὲ ᾿Αβραὰμ πρὸς τὸν ἀρχιστράτηγον· Κύ-
5 ριέ μου ἀρχιστράτηγε, ἡ ψυχή, ἣν κατεῖχεν ὁ ἄγγελος
ἐν τῇ χειρὶ αὐτοῦ, δοκιμασθήσεται ἢ οὔ; εἶπεν δὲ
ὁ ἀρχιστράτηγος· ῎Ακουσον, δίκαιε ᾿Αβραάμ· διότι
εὖρεν ὁ κριτὴς τῆς ψυχῆς ταύτης τὰς ἀμαρτάς ἴσας
ταῖς δικαιοσύναις, οὔτε εἰς κρίσιν ἐδόθη οὔτε εἰς
10 τὸ σώζεσθαι, ἕως οὗ ἔλθῃ ὁ κριτὴς τῶν πάντων. εἶ-
→ πεν δὲ ᾿Αβραὰμ πρὸς τὸν ἀρχιστράτηγον· Καὶ τί κα-
ταλείπεται τῇ ψυχῇ ταύτῃ; δύναται σώζεσθαι ἢ οὔ;
καὶ εἶπεν ὁ ἀρχιστράτηγος ὅτι ᾿Εὰν σχῇ μίαν δικαι-
οσύνην ὑπεράνω τῶν ἁμαρτιῶν, σωθήσεται. εἶπεν δὲ

116:1 δικαιότατε: most righteous, very righteous
(Superlative voc. masc. sing. of δίκαιος)

---

(3) ἴσος, -η, -ον: equal, same, consistent; ἴσον:
    equally, in the same way
καταλείπω, καταλείψω, κατέλειψα and κατέλιπον,
    ---, καταλέλειμμαι, κατελείφθην: leave
behind, give up to, abandon; (pass.)
remain

'Αβραὰμ πρὸς τὸν ἀρχιστράτηγον· Δεῦρο Μιχαὴλ ἀρχι-

στράτηγε, ποιήσωμεν εὐχὴν ὑπὲρ τῆς ψυχῆς ταύτης,

καὶ ἴδωμεν εἰ ἐπακούσεται ἡμῶν ὁ θεός. καὶ εἶπεν

ὁ ἀρχιστράτηγος· 'Αμὴν γένοιτο. καὶ ἐποίησαν δέ-

5 ησιν καὶ εὐχὴν ὑπὲρ τῆς ψυχῆς· καὶ ἐπήκουσεν αὐ-

τοὺς ὁ θεὸς καὶ ἀναστάντες ἀπὸ τῆς δεήσεως οὐκ εἶ-

δον τὴν ψυχὴν ἱσταμένην ἐκεῖ. καὶ εἶπεν 'Αβραὰμ

πρὸς τὸν ἄγγελον· Ποῦ ἐστὶν ἡ ψυχὴ ἣν ἐκράτεις ἐν

τῷ μέσῳ; καὶ εἶπεν ὁ ἄγγελος· Σέσωται διὰ τῆς εὐ-

10 χῆς σου τῆς δικαίας, καὶ ἰδοὺ ἔλαβεν αὐτὴν ἄγγελος

φωτεινὸς καὶ ἤνεγκεν αὐτὴν εἰς τὸν παράδεισον. εἶ-

πεν δὲ 'Αβραάμ· Δοξάζω τὸ ὄνομα τοῦ θεοῦ τοῦ ὑψί-

117:2 ποιήσωμεν εὐχήν (The incident which begins
here is a curious instance of the intercession of a
man and an angel on behalf of someone who has appar-
ently already passed from the earthly scene.)
117:4 'Αμὴν γένοιτο: Amen, may it be so (an opta-
tive of wish). 'Αμὴν is a transliteration from Hebrew,
and then γένοιτο is a translation of the Hebrew.

---

(1) ἐπακούω, ἐπακούσομαι, ἐπήκουσα, ---, ---, ---:
     hear, listen to, obey

(2) δέησις, -εως, ἡ: entreaty, prayer
    ἐπακούω (1)

(3) δέησις (2)
    δεῦρο: come!, until now

117

στου ὅτι ἐλεεῖ χωρὶς μέτρου. εἶπεν δὲ πάλιν 'Αβρα-

ὰμ πρὸς τὸν ἀρχιστράτηγον· Δέομαί σου, ἀρχάγγελε,

ἐπάκουσον τῆς δεήσεώς μου, καὶ παρακαλέσωμεν ἔτι

τὸν κύριον καὶ προσπέσωμεν τῇ χάριτι αὐτοῦ καὶ δεη-

5 θῶμεν ὑπὲρ τῶν ψυχῶν τῶν ἁμαρτωλῶν ἅσπερ ἐγώ ποτε

ἀπώλεσα, ἅσπερ κατέπιεν ἡ γῆ, καὶ ἅσπερ ἀπέκτειναν

τὰ θηρία, καὶ ἅσπερ κατέφαγεν τὸ πῦρ διὰ τοὺς ἐμους

λόγους. νῦν ἔγνωκα ἐγὼ ὅτι ἥμαρτον ἐνώπιον κυρίου

τοῦ θεοῦ ἡμῶν· δεῦρο, Μιχαὴλ ἀρχιστράτηγε τῶν ἄνω

10 δυνάμεων, δεῦρο παρακαλέσωμεν τὸν θεὸν μετὰ δακρύ-

ων, ὅπως ἀφήσει μοι τὴν θανατηφόρον ἁμαρτίαν καὶ

ἐλεήσῃ με. καὶ εἰσήκουσεν αὐτὸν ὁ ἀρχιστράτηγος

118:11 ἀφήσει (Hellenistic Greek uses the future
indicative to a limited extent instead of the aorist
subjunctive in final and sub-final clauses.)

---

(2) θανατηφόρος, -ον: death-bringing, fatal,
        deadly, mortal

(3) ἐπακούω, ἐπακούσομαι, ἐπήκουσα, ---, ---, ---:
        hear, listen to, obey
     καταπίνω, ---, κατέπιον, ---, ---, κατεπόθην:
        drink down, swallow up, devour
     μέτρον, -ου, τό: measure
     προσπίπτω, ---, προσέπεσον and προσέπεσα, ---,
        ---, ---: fall down before, fall upon,
        beat against

καὶ ἐποίησαν γνησίαν δέησιν ἐνώπιον τοῦ θεοῦ. ἐπει-
δὴ δὲ ὅλην ὥραν παρεκάλεσαν, ἦλθεν φωνὴ ἐκ τοῦ παν-
τοκράτορος λέγουσα· Ἀβραάμ, Ἀβραάμ, εἰσήκουσα τῆς
φωνῆς σου καὶ τῆς δεήσεώς σου καὶ ἀφίημί σοι τὴν θα-
5   νατηφόρον ἁμαρτίαν, καὶ οὕσπερ σὺ νομίζεις ὅτι ἀπώ-
λεσα, ἐγὼ πάλιν εἰς ζωὴν ἤγαγον. διότι πρὸς καιρὸν
εἰς κρίσιν αὐτοὺς ἀπέδωκα· ἐγὼ δὲ οὕσπερ ἀπολέσω
ἐπὶ τῆς γῆς ζῶντας, ἐν θανάτῳ οὐκ ἀποδώσω.

15. Εἶπεν δὲ καὶ πρὸς τὸν ἀρχιστράτηγον ἡ φωνὴ τοῦ
10   κυρίου· Μιχαήλ. Μιχαήλ, ὁ ἐμὸς διάκονος, ἀνάγαγε
τὸν Ἀβραὰμ εἰς τὸν οἶκον αὐτοῦ, ὅτι ἰδοὺ ἤγγικεν
τὸ τέλος αὐτοῦ καὶ τὸ μέτρον τῆς ζωῆς αὐτοῦ τελει-
οῦται, ὅπως ποιήσῃ διαθήκην περὶ πάντων. καὶ τότε
παράλαβε αὐτὸν καὶ ἀνάγαγε πρός με. ὁ δὲ ἀρχιστρά-
15   τηγος ἤγαγεν πάλιν τὸν Ἀβραὰμ εἰς τὸν οἶκον αὐτοῦ.

---

(2)   παντοκράτωρ, -ορος, ὁ: ruler of all, the
          almighty
      παραλαμβάνω, παραλήμψομαι, παρέλαβον, ---, ---,
      παρελήμφθην: take to oneself, take with,
      receive

(3)   γνήσιος, -α, -ον: legitimate, genuine
      ἐπειδή: (temporal) when now, after that;
      (causal) since, because
      θανατηφόρος, -ον: death-bringing, fatal,
      deadly, mortal

ἀπελθὼν δὲ εἰς τὸν τρίκλινον τοῦ 'Αβραάμ, ἀνέπεσεν
ἐπὶ τῆς κλίνης αὐτοῦ, ὅπως τὴν ὁμιλίαν ἀλλήλων πά-
λιν ἀκούωσιν. ἦλθεν δὲ Σάρρα ἡ γυνὴ τοῦ 'Αβραὰμ
καὶ ἐκράτει τῶν ποδῶν τοῦ ἀσωμάτου καὶ εἶπεν· Εὐ-
5 χαριστῶ σοι, κύριέ μου, ὅτι ἤνεγκας πάλιν τὸν κύ-
ριόν μου 'Αβραάμ· ἰδοὺ γὰρ ἐνομίζομεν αὐτὸν ἀνα-
λημφθῆναι ἀφ' ἡμῶν. ἦλθεν δὲ καὶ 'Ισαὰκ ὁ υἱὸς
αὐτοῦ, καὶ ἐκράτει τοῦ πατρὸς αὐτοῦ. μετὰ ταῦτα
καὶ πάντες οἱ δοῦλοι αὐτοῦ τοῦ κυρίου αὐτῶν ἐκρά-
10 τουν δοξάζοντες τὸν θεόν. εἶπεν δὲ ὁ ἀσώματος πρὸς
αὐτόν· "Ακουσον, δίκαιε 'Αβραάμ· ἰδοὺ σὺ ἀνέπεσες
ἐπὶ τῆς ἰδίας κλίνης, ἰδοὺ ἡ γυνή σου Σάρρα, ἰδοὺ
καὶ ὁ ἠγαπημένος σου υἱὸς 'Ισαάκ, ἰδοὺ καὶ πάντες
οἱ δοῦλοι καὶ αἱ δοῦλαι. ποίησον οὖν διαθήκην περὶ
15 πάντων ὧν ἔχεις· ὅτι ἤγγικεν ἡ ἡμέρα ἐν ᾗ μέλλεις
ἐκ τοῦ σώματος ἐκδημεῖν καὶ ἔτι ἅπαξ πρὸς τὸν κύρι-

---

(2) ἀναπίπτω, ---, ἀνέπεσον and ἀνέπεσα, ---, ---,
     ---: lie down, recline, lean back

(3) ἀναπίπτω (2)
     ἅπαξ: once, one time, once for all
     ἐκδημέω, ---, ἐξεδήμησα, ---, ---, ---: depart
     ὁμιλία, -ας, ἡ: instruction, conversation

ον ἔρχεσθαι. εἶπεν δὲ 'Αβραάμ· 'Ο κύριος εἶπεν,
ἢ σὺ ἀφ' ἑαυτοῦ λέγεις ταῦτα; ὁ δὲ ἀρχιστράτηγος
εἶπεν· "Ακουσον, δίκαιε 'Αβραάμ· ὁ δεσπότης ἐκέ-
λευσεν καὶ ἐγώ σοι λέγω. εἶπεν δὲ 'Αβραάμ· Οὐ μή
5 σοι ἀκολουθῶ. ἀκούσας δὲ ὁ ἀρχιστράτηγος τὸν λόγον
τοῦτον, εὐθέως ἐξῆλθεν ἐκ προσώπου τοῦ 'Αβραάμ καὶ
ἀνῆλθεν εἰς τοὺς οὐρανοὺς καὶ ἔστη ἐνώπιον τοῦ θεοῦ
τοῦ ὑψίστου καὶ εἶπεν· Κύριε παντοκράτωρ, ἰδοὺ εἰσ-
ήκουσα τοῦ φίλου σου 'Αβραάμ πάντα ὅσα εἶπεν πρός σε
10 καὶ τὴν δέησιν αὐτοῦ ἐπλήρωσα, καὶ ἔδειξα αὐτῷ τὴν
βασιλείαν σου καὶ πᾶσαν τὴν ὑπ' οὐρανὸν γῆν τε καὶ
θάλασσαν, κρίσιν καὶ ἀνταπόδοσιν διὰ νεφέλης καὶ
ἁρμάτων ἔδειξα αὐτῷ, καὶ πάλιν λέγει ὅτι Οὐ μὴ ἀκο-
λουθῶ σοι. καὶ ὁ ὕψιστος ἔφη πρὸς τὸν ἄγγελον· Εἰ
15 καὶ πάλιν οὕτως λέγει ὁ φίλος μου 'Αβραάμ ὅτι Οὐ μὴ
ἀκολουθῶ σοι; ὁ δὲ ἀρχάγγελος εἶπεν· Κύριε παντο-
κράτωρ, οὕτως λέγει· καὶ ἐγώ οὐχ ἡψάμην αὐτοῦ, ὅτι
ἐξ ἀρχῆς φίλος σού ἐστιν καὶ πάντα τὰ ἀρεστὰ ἐνώπι-

_____

(3) παντοκράτωρ, -ορος, ὁ: ruler of all, the
      almighty

121

ὄν σου ἐποίησεν· καὶ οὐκ ἔστιν ἄνθρωπος ὅμοιος αὐ-
τῷ ἐπὶ τῆς γῆς· καὶ διὰ τοῦτο οὐχ ἡψάμην αὐτοῦ·
κέλευσον οὖν, ἀθάνατε βασιλεῦ, τί ῥῆμα γενήσεται;

16. Τότε ὁ ὕψιστος λέγει· Κάλεσόν μοι ὧδε τὸν

5 θάνατον τὸν ἀνέλεον βλέμματι. καὶ ἀπελθὼν Μιχαὴλ
ὁ ἀσώματος εἶπεν τῷ θανάτῳ· Δεῦρο, καλεῖ σε ὁ δε-
σπότης τῆς κτίσεως ὁ ἀθάνατος βασιλεύς. ἀκούσας δὲ
ὁ θάνατος ἔφριξεν, καὶ ἐλθὼν μετὰ φόβου πολλοῦ ἔστη
ἔμπροσθεν τοῦ θεοῦ φρίσσων. λέγει οὖν ὁ ἀθάνατος

10 θεὸς πρὸς τὸν θάνατον· Δεῦρο, τὸ πικρὸν καὶ ἄγριον
τοῦ κόσμου ὄνομα, κρύψον σου τὴν ἀγριότητα καὶ τὴν
σαπρίαν, καὶ τὴν πικρίαν σου ἀπό σου βαλοῦ, καὶ πε-

---

(1) ἄγριος, -α, -ον: wild
    ἀγριότης, -ητος, ἡ: wildness, fierceness
    περιβάλλω, περιβαλῶ, περιέβαλον, ---, περιβέ-
        βλημαι, ---: throw around, put on, clothe
    πικρία, -ας, ἡ: bitterness
    σαπρία, -ας, ἡ: corruption

(2) βλέμμα, -ατος, τό: glance, look
    φρίσσω, ---, ἔφριξα, πέφριχα, ---, ---:
        shudder, shudder at

(3) κρύπτω, ---, ἔκρυψα, ---, κέκρυμμαι, ἐκρύβην:
        hide, conceal, cover
    κτίσις, -εως, ἡ: creation, act of creation,
        thing created, creature, world
    φρίσσω (2)

122

ριβαλοῦ τὴν <u>ὡραιότητά</u> σου καὶ πᾶσαν τὴν δόξαν σου,
καὶ κάτελθε εἰς τὸν φίλον μου τὸν 'Αβραὰμ καὶ ἅρ-
πασον αὐτὸν καὶ ἄγαγε αὐτὸν πρός με· ἀλλὰ καὶ νῦν
λέγω σοι ὅτι μὴ αὐτὸν τάραξον ἀλλὰ μετὰ ἀγαθῶν λό-
5   γων τοῦτον παράλαβε, ὅτι φίλος μου γνήσιος ὑπάρχει.
ταῦτα ἀκούσας ὁ θάνατος ἐξῆλθεν ἀπὸ προσώπου τοῦ
ὑψίστου καὶ <u>περιεβάλετο</u> στολὴν καλὴν καὶ ἐποίησεν
<u>ὄψιν</u> τῷ ἡλίῳ ὁμοίαν, ἀρχαγγέλου <u>μορφὴν</u> <u>περικείμενος</u>,
τὸν πρόσωπον αὐτοῦ πυρὶ ἀστράπτον, καὶ ἀπῆλθεν πρὸς
10   τὸν 'Αβραάμ. ὁ δὲ δίκαιος 'Αβραὰμ ἐξῆλθεν ἐκ τοῦ
τρικλίνου αὐτοῦ καὶ ἐκάθητο ὑποκάτω τῶν δένδρων τῶν
Μαμβρῇ, μένων τὸν ἀρχάγγελον Μιχαήλ. ἰδὼν δὲ 'Α-

---

(1) μορφή, -ῆς, ἡ: form, shape, external appear-
      ance, beauty
    περίκειμαι, ---, ---, ---, ---, ---: lie
      around, be put around, be clad in, be
      compassed with
    ὡραιότης, -ητος, ἡ: bloom of youth, beauty
      (-NT)

(2) ὄψις, -εως, ἡ: outward appearance, face
    περιβάλλω, περιβαλῶ, περιέβαλον, ---, περιβέ-
      βλημαι, ---: throw around, put on,
      clothe

(3) παραλαμβάνω, παραλήμψομαι, παρέλαβον, ---,
      ---, παρελήμφθην: take to oneself,
      take with, receive

123

βραὰμ τὸν θάνατον ἐρχόμενον πρὸς αὐτὸν ἐν πολλῇ

δόξῃ καὶ ὡραιότητι ἀνέστη ὑπαντῆσαι αὐτῷ νομίζων

εἶναι τὸν ἀρχιστράτηγον τοῦ θεοῦ. καὶ ἰδὼν αὐτὸν

ὁ θάνατος προσεκύνησεν αὐτῷ λέγων· Χαῖρε, τίμιε

5 Ἀβραάμ, δικαία ψυχή, φίλε γνήσιε τοῦ θεοῦ τοῦ ὑψί-

στου. εἶπεν δὲ Ἀβραὰμ πρὸς τὸν θάνατον· Χαῖρε,

ὅμοιε τῷ ἡλίῳ, ἐνδοξότατε, φωτοφόρε, ἀνὴρ θαυμάσιε,

πόθεν ἥκεις πρὸς ἡμᾶς, καὶ τίς εἶ σύ, καὶ τί ἐλή-

λυθας; λέγει οὖν ὁ θάνατος· Ἀβραὰμ δικαιότατε,

10 ἰδοὺ λέγω σοι τὴν ἀλήθειαν· ἐγώ εἰμι τὸ πικρὸν τοῦ

θανάτου ποτήριον. λέγει δὲ αὐτῷ Ἀβραάμ· Οὐχί,

ἀλλὰ σὺ εἶ τὸ κάλλος τοῦ κόσμου, σὺ εἶ ἡ δόξα τῶν

ἀγγέλων καὶ τῶν ἀνθρώπων, σὺ εἶ πάσης μορφῆς καλ-

124:7 ἐνδοξότατε (See p. 94:7 note.)
124:9 δικαιότατε (See p. 116:1 note.)

---

(2) καλλίων, κάλλιον (Comparative of καλός):
        fairer, more beautiful
     κάλλος, -ους, τό: beauty
     μορφή, -ῆς, ἡ: form, shape, external appear-
        ance, beauty
     ὡραιότης, -ητος, ἡ: bloom of youth, beauty
        (-NT)

(3) ὑπαντάω, ---, ὑπήντησα, ---, ---, ---: come
        to meet, go to meet, oppose

λί̲ω̲ν̲, καὶ λέγεις ὅτι ᾿Εγώ εἰμι τὸ πικρὸν τοῦ θανά-
του ποτήριον καὶ οὐ λέγεις ὅτι ᾿Εγώ εἰμι παντὸς ἀ-
γαθοῦ καλλίων; εἶπεν δὲ ὁ θάνατος· ᾿Εγὼ γὰρ λέγω
σοι τὴν ἀλήθειαν· ὅπερ ἐκάλεσέν με ὁ θεός, ἐκεῖνο

5   καὶ λέγω σοι. εἶπεν δὲ ᾿Αβραάμ· Εἰς τί ἐλήλυθας
ὧδε; εἶπεν δὲ ὁ θάνατος· Διὰ τὴν σὴν ἁγίαν ψυχὴν
ἐλήλυθα. λέγει οὖν ᾿Αβραάμ· Οἶδα τί λέγεις, ἀλλ᾿
οὐ μή σοι ἀκολουθῶ. ὁ δὲ θάνατος οὐκ ἀπεκρίθη αὐ-
τῷ λόγον.

10 17. ᾿Ανέστη δὲ ᾿Αβραὰμ καὶ ἦλθεν εἰς τὴν σκηνὴν
αὐτοῦ· ἠκολούθει δὲ καὶ ὁ θάνατος ἕως ἐκεῖ· ἦλθεν
δὲ ᾿Αβραὰμ εἰς τὸν τρίκλινον αὐτοῦ· ἦλθεν δὲ καὶ
ὁ θάνατος μετ᾿ αὐτοῦ· ἀνέπεσεν δὲ ᾿Αβραὰμ ἐπὶ τῆς
κλίνης αὐτοῦ· ἦλθεν δὲ καὶ ὁ θάνατος καὶ ἐκαθέσθη

15 παρὰ τοὺς πόδας αὐτοῦ. εἶπεν δὲ ᾿Αβραάμ· ῎Απελθε,
ἄπελθε ἀπ᾿ ἐμοῦ, ὅτι θέλω ἀναπαύεσθαι ἐν τῇ κλίνῃ
μου. λέγει ὁ θάνατος· Οὐκ ἐξελεύσομαι ἐκ τῆς σκη-

125:7 Οἶδα τί λέγεις: I know what you mean.

---

(3) καλλίων, κάλλιον (Comparative of καλός):
    fairer, more beautiful

νῆς ταύτης ἕως οὗ λάβω τὸ πνεῦμά σου ἀπό σου, ἕως

οὗ σὺ <u>ἐκλείψεις</u>. λέγει αὐτῷ 'Αβραάμ· Κατὰ τοῦ θε-

οῦ τοῦ ἀθανάτου σοι λέγω ἵνα μοι εἴπῃς τὸ ἀληθές·

σὺ εἶ ὁ θάνατος; λέγει αὐτῷ ὁ θάνατος· 'Εγώ εἰμι

5 ὁ θάνατος· ἐγώ εἰμι ὁ τὸν κόσμον πατάσσων. εἶπεν

δὲ 'Αβραάμ· Δέομαί σου, ἐπειδὴ σὺ εἶ ὁ θάνατος,

ἀνάγγειλόν μοι, καὶ πρὸς πάντας οὕτως προσέρχῃ ἐν

κάλλει καὶ ὡραιότητι καὶ δόξῃ τοιαύτῃ; καὶ ὁ θάνα-

τος εἶπεν· Οὐχί, κύριέ μου 'Αβραάμ· αἱ γὰρ δικαι-

10 οσύναι σου καὶ ἡ μεγάλη <u>φιλοξενία</u> σου καὶ τὸ κράτος

τῆς ἀγάπης σου τῆς πρὸς θεὸν ἐγένοντο στέφανος ἐπὶ

τῆς ἐμῆς κεφαλῆς, καὶ ἐν ἡσυχίᾳ πολλῇ προσέρχομαι

πρὸς τοὺς δικαίους· πρὸς δὲ τοὺς ἁμαρτωλοὺς προσ-

126:2 Κατὰ τοῦ θεοῦ τοῦ ἀθανάτου σοι λέγω: By
the immortal God I bid you.

---

(1) ἐκλείπω, ἐκλείψω, ἐξέλιπον, ---, ---, ---:
        fail, die
     φιλοξενία, -ας, ἡ: hospitality

(3) ἡσυχία, -ας, ἡ: quietness, rest, silence
     κάλλος, -ους, τό: beauty
     κράτος, -ους, τό: power, might, strength,
        rule
     ὡραιότης, -ητος, ἡ: bloom of youth, beauty
        (-NT)

ἔρχομαι ἐν πολλῇ σαπρίᾳ καὶ ἀγριότητι καὶ μεγίστῃ
πικρίᾳ καὶ βλέμματι ἀγρίῳ καὶ ἀνελέῳ καὶ ἀποτόμῳ.
εἶπεν δὲ ᾽Αβραάμ· Δέομαί σου, ἐπάκουσόν μου καὶ
δεῖξόν μοι τὴν ἀγριότητά σου καὶ πᾶσαν τὴν σαπρίαν
5   καὶ πικρίαν· καὶ εἶπεν ὁ θάνατος· Οὐ μὴ δυνηθῇς
θεάσασθαι τὴν ἐμὴν ἀγριότητα, δικαιότατε ᾽Αβραάμ.
εἶπεν δὲ ᾽Αβραάμ· Ναί, δυνήσομαι θεάσασθαί σου
πᾶσαν τὴν ἀγριοτάτην μορφὴν ἕνεκα τοῦ ὀνόματος τοῦ
θεοῦ τοῦ ζῶντος, ὅτι ἡ δύναμις τοῦ θεοῦ μου τοῦ
10   ἐπουρανίου μετ᾽ ἐμοῦ ἐστιν. τότε ὁ θάνατος ἀπεδύ-
σατο πᾶσαν αὐτοῦ τὴν ὡραιότητα καὶ τὸ κάλλος, καὶ
πᾶσαν τὴν δόξαν καὶ τὴν ὁμοίαν τῷ ἡλίῳ μορφὴν ἣν
περιέκειτο, καὶ περιεβάλετο στολὴν φοβερὰν καὶ ἐποί-

---

(2) ἄγριος, -α, -ον: wild
     ἀγριότης, -ητος, ἡ: wildness, fierceness
     περίκειμαι, ---, ---, ---, ---, ---: lie
          around, be put around, be clad in, be
          compassed with
     πικρία, -ας, ἡ: bitterness
     σαπρία, -ας, ἡ: corruption

(3) ἄγριος (2)
     ἀγριότης (2)
     ἀπότομος, -ον: harsh, rough
     βλέμμα, -ατος, τό: glance, look
     μορφή, -ῆς, ἡ: form, shape, external appear-
          ance, beauty
     περιβάλλω, περιβαλῶ, περιέβαλον, ---, περιβέ-
          βλημαι, ---: throw around, put on, clothe
     πικρία (2)
     σαπρία (2)
127

ησεν τὴν ὄψιν φοβερὰν καὶ πάντων θηρίων ἀγριωτέραν.

καὶ ἔδειξεν τῷ 'Αβραὰμ κεφαλὰς πυρίνους ἑπτά, καὶ

πρόσωπα δεκατέσσαρα, πυρὸς καὶ πολλῆς ἀγριότητος.

καὶ ἐκ τῆς πολλῆς πικρίας καὶ ἀγριότητος τῶν προ-

5 σώπων τούτων ἐτελεύτησαν πάντες οἱ παῖδες καὶ πᾶσαι

αἱ παιδίσκαι τοῦ 'Αβραὰμ χιλιάδες ἑπτά. καὶ ὁ δί-

καιος 'Αβραὰμ ἦλθεν εἰς ὀλιγωρίαν θανάτου ὥστε ἐκ-

λείπειν τὸ πνεῦμα αὐτοῦ.

18. Καὶ ταῦτα οὕτως ἰδὼν ὁ ὅσιος 'Αβραὰμ εἶπεν

10 πρὸς τὸν θάνατον· Δέομαί σου, θάνατε ἀπολλύων,

128:7 'Αβραὰμ ἦλθεν εἰς ὀλιγωρίαν θανάτου: Abra-
ham came into the contempt of Death (i.e. Abraham
came under the power of Death, who ultimately holds
all mortal life in contempt.)
128:7 ὥστε ἐκλείπειν τὸ πνεῦμα αὐτοῦ: so that his
spirit was failing

---

(1) ὀλιγωρία, -ας, ἡ: contempt (-NT)
    παιδίσκη, -ης, ἡ: maid servant
    παῖς, παιδός, ὁ: child, boy, youth, servant
    τελευτάω, τελευτήσω, ἐτελεύτησα, τετελεύτηκα,
        ---, ---: come to an end, die
    χιλιάς, -άδος, ἡ: a thousand

(2) ἐκλείπω, ἐκλείψω, ἐξέλιπον, ---, ---, ---:
        fail, die

(3) ὄψις, -εως, ἡ: outward appearance, face

128

κρύψον σου τὴν ἀγριότητα καὶ περιβαλοῦ τὴν ὡραιότη-
τα καὶ μορφὴν ἣν περικείμενος ἦς. εὐθέως δὲ ὁ θά-
νατος ἔκρυψεν τὴν ἀγριότητα αὐτοῦ καὶ περιεβάλετο
τὴν ὡραιότητα αὐτοῦ ἣν περικείμενος ἦν. εἶπεν δὲ

5 Ἀβραὰμ πρὸς τὸν θάνατον· Τί τοῦτο ἐποίησας; ἀπέ-
κτεινας πάντας τοὺς <u>παῖδας</u> καὶ πάσας τὰς <u>παιδίσκας</u>
<u>χιλιάδας</u> ἑπτά. εἰ ὁ θεὸς ἕνεκα τούτου σε ἀπέστει-
λεν ὧδε; καὶ ὁ θάνατος εἶπεν· Οὐχί, κύριέ μου Ἀ-
βραάμ, οὐκ ἔστιν καθὼς σὺ λέγεις· ἀλλὰ διά σε ἀπε-
10 στάλην ἕως ὧδε. εἶπεν δὲ Ἀβραὰμ πρὸς τὸν θάνατον·
Καὶ πῶς οὗτοι χιλιάδες ἑπτὰ οἱ παῖδες καὶ αὗται αἱ
παιδίσκαι ἐτελεύτησαν; μὴ ὁ κύριος εἶπεν; εἶπεν δὲ

129:12 μὴ ὁ κύριος εἶπεν;: The Lord did not order
/it/, did He?

---

(2) παιδίσκη, -ης, ἡ: maid servant
παῖς, παιδός, ὁ: child, boy, youth, servant
τελευτάω, τελευτήσω, ἐτελεύτησα, τετελεύτηκα,
       ---, ---: come to an end, die
χιλιάς, -άδος, ἡ: a thousand

(3) παιδίσκη (2)
παῖς (2)
περίκειμαι, ---, ---, ---, ---, ---: lie
       around, be put around, be clad in, be
       compassed with
χιλιάς (2)

ὁ θάνατος· Πίστευσον, 'Αβραὰμ δικαιότατε, ὅτι καὶ
τοῦτο θαυμάσιόν ἐστιν, ὅτι καὶ σὺ μετ' αὐτῶν οὐχ
ἡρπάγης· ἀλλ' ἁπλῶς λέγω σοι τὴν ἀλήθειαν· καὶ
γὰρ εἰ μὴ ἦν ἡ δεξιὰ χεὶρ τοῦ θεοῦ μετά σου ἐν τῇ
5 ὥρᾳ ἐκείνῃ, καὶ σὺ ἂν ἐξέλιπες. ὁ δὲ δίκαιος 'Α-
βραὰμ εἶπεν· Νῦν ἔγνωκα ἐγὼ ὅτι εἰς ὀλιγωρίαν θα-
νάτου ἦλθον, ὥστε ἐκλείπειν τὸ πνεῦμά μου· ἀλλὰ
δέομαί σου, θάνατε ἀπολλύων, ἐπειδὴ καὶ οἱ παῖδες
ἀκαίρως ἀπέθανον, δεῦρο δεηθῶμεν κυρίῳ τῷ θεῷ ἡμῶν
10 ὅπως ἐπακούσῃ ἡμῶν καὶ ἀναστήσῃ τοὺς ἀκαίρως ἀποθα-
νόντας διὰ τῆς σῆς ἀγριότητος. καὶ εἶπεν ὁ θάνατος·
'Αμὴν γένοιτο. ἀναστὰς οὖν ὁ 'Αβραὰμ ἔπεσεν ἐπὶ

130:9 δεῦρο δεηθῶμεν (This is a still more curious
instance of intercession: Death praying to have the
effects of his destructive power nullified.)

---

(1) ἀκαίρως: prematurely

(2) ἀκαίρως (1)
     ὀλιγωρία, -ας, ἡ: contempt (-NT)

(3) ἁπλῶς: sincerely, simply, in a word
     ἐκλείπω, ἐκλείψω, ἐξέλιπον, ---, ---, ---:
        fail, die

πρόσωπον τῆς γῆς προσευχόμενος καὶ ὁ θάνατος μετ'
αὐτοῦ, καὶ ἀπέστειλεν ὁ θεὸς πνεῦμα ζωῆς ἐπὶ τοὺς
ἀκαίρως τελευτήσαντας χιλιάδας ἑπτὰ καὶ αὐτοὺς ἀνέ-
στησεν. τότε οὖν ὁ δίκαιος 'Αβραὰμ ἔδωκεν δόξαν

5   τῷ θεῷ.

19. Καὶ ἐλθὼν εἰς τὸν τρίκλινον αὐτοῦ, ἀνέπεσεν·
ἐλθὼν δὲ καὶ ὁ θάνατος ἔστη ἔμπροσθεν αὐτοῦ. εἶπεν
δὲ 'Αβραὰμ πρὸς αὐτόν· "Εξελθε ἀπ' ἐμοῦ ὅτι θέλω
ἀναπαύεσθαι ὅτι ἐν ὀλιγωρίᾳ θανάτου περίκειται τὸ

10   πνεῦμά μου. καὶ ὁ θάνατος εἶπεν· Οὐκ ἐξελεύσομαι
ἀπό σου ἕως οὗ λάβω τὴν ψυχήν σου. καὶ ὁ 'Αβραὰμ
ὀργισθεὶς εἶπεν πρὸς τὸν θάνατον· Τίς ὁ προστάξας
σοι ταῦτα λέγειν; σὺ ἀπὸ σεαυτοῦ λέγεις ταῦτα τὰ
ῥήματα, καὶ οὐ μή σοι ἀκολουθῶ, ἕως οὗ ὁ ἀρχιστρά-

15   τηγος Μιχαὴλ ἔλθη πρός με καὶ ἀπέλθω μετ' αὐτοῦ.
ἀλλὰ καὶ τοῦτο λέγω σοι, εἰ μὲν θέλεις ἵνα ἀκολουθῶ
σοι, δίδαξόν με τὰς ἑπτὰ κεφαλὰς τὰς πυρίνας καὶ τὰ

---

(3) ἀκαίρως: prematurely
     ὀλιγωρία, -ας, ἡ: contempt (-NT)
     τελευτάω, τελευτήσω, ἐτελεύτησα, τετελεύτηκα,
     ---, ---: come to an end, die

131

δεκατέσσαρα πρόσωπα τὰ φοβερώτατα. ὁ οὖν θάνατος
ἐδίδαξεν αὐτόν.

20. Τότε δὲ εἶπεν ἔτι· ῎Αρτι λέγω σοι, δικαιότατε
'Αβραάμ, καταλιπεῖν τὰς σκηνὰς τῆς μεγάλης φιλοξε-
5   νίας σου καὶ πάντα ἃ ἔχεις ὧδε. καὶ δεῦρο ἀκολού-
θει μοι καθὼς ὁ θεὸς καὶ κριτὴς τῶν πάντων προσέτα-
ξέν μοι. εἶπεν δὲ 'Αβραὰμ πρὸς τὸν θάνατον· ῎Α-
πελθε ἀπ' ἐμοῦ ἔτι μικρόν, ἵνα ἀναπαύσωμαι ἐν τῇ
κλίνῃ μου. ἦλθεν δὲ 'Ισαὰκ ὁ υἱὸς αὐτοῦ κλαίων·
10   ἦλθεν δὲ καὶ ἡ γυνὴ αὐτοῦ Σάρρα ὀδυρομένη πικρῶς.
ἦλθοσαν καὶ πάντες οἱ δοῦλοι αὐτοῦ καὶ αἱ δοῦλαι
καὶ ἵστασαν περὶ τὴν κλίνην αὐτοῦ ὀδυρόμενοι πάνυ.
ὁ δὲ 'Αβραὰμ ἦλθεν εἰς ὀλιγωρίαν θανάτου· καὶ εἶπεν
ὁ θάνατος πρὸς τὸν 'Αβραάμ· Δεῦρο ἄσπασαι τὴν δε-

132:1 φοβερώτατα: most terrifying, very terrifying
(Superlative acc. neut. pl. of φοβερός)
132:3 λέγω: I bid, enjoin
132:14 ἄσπασαι: kiss

---

(2) φιλοξενία, -ας, ἡ: hospitality

132

ξιάν μου· καὶ ἔλθοι σοι χαρὰ καὶ ζωὴ καὶ δύναμις.
πεπλανήκει γὰρ τὸν 'Αβραὰμ ὁ θάνατος· καὶ ἠσπάσατο
τὴν χεῖρα αὐτοῦ, καὶ εὐθέως ἡρπάγη ἡ ψυχὴ αὐτοῦ ἐν
τῇ χειρὶ τοῦ θανάτου· καὶ εὐθέως ἐφάνη Μιχαὴλ ὁ
5   ἀρχάγγελος μετὰ πλήθους ἀγγέλων, καὶ ἦραν τὴν τιμί-
αν αὐτοῦ ψυχὴν ἐν ταῖς χερσὶν αὐτῶν, καὶ ἔθηκαν τὸ
σῶμα ἐν μνημείῳ ἐγγὺς τῆς δρυὸς τῆς Μαμβρῆ ἐν τῇ γῇ
τῆς ἐπαγγελίας. τὴν δὲ τιμίαν αὐτοῦ ψυχὴν ἀνήγαγον
οἱ ἄγγελοι εἰς τὸν οὐρανὸν δοξάζοντες τὸν δεσπότην
10 τῶν πάντων θεόν. προσκυνήσαντος δὲ ἐν τῷ οὐρανῷ
τὸν κύριον τοῦ 'Αβραάμ, ἦλθεν ἡ φωνὴ τοῦ θεοῦ καὶ
πατρὸς λέγουσα οὕτως· "Αρατε οὖν τὸν φίλον μου τὸν
'Αβραὰμ εἰς τὸν παράδεισον, ὅπου εἰσὶν αἱ σκηναὶ
τῶν δικαίων μου καὶ μοναὶ τῶν ἁγίων μου 'Ισαὰκ καὶ
15 'Ιακώβ, ὅπου οὔτε δακρύουσιν οὔτε λυποῦνται, ἀλλὰ

133:1 ἔλθοι σοι χαρὰ καὶ ζωὴ καὶ δύναμις: May joy
and life and strength come to you. (An optative of
wish. The verb agrees with the first member of the
compound subject following.)

133

ζῶσι καὶ ἀγαλλιῶνται εἰς τοὺς αἰῶνας. καὶ ἡμεῖς,
ἀδελφοί μου ἀγαπητοί, τοῦ πατρὸς ᾿Αβραὰμ τῇ φιλο-
ξενίᾳ ἀκολουθήσωμεν, δοξάζοντες τὸν πατέρα καὶ τὸν
υἱὸν καὶ τὸ ἅγιον πνεῦμα· αὐτῷ ἡ δόξα καὶ τὸ κρά-
5 τος εἰς τοὺς αἰῶνας. ᾿Αμήν.

134:1-5 These lines are addressed to the reader
by the writer.

---

(3) φιλοξενία, -ας, ἡ: hospitality

THE LETTERS OF PILATE AND HEROD

Luke's statement (Luke 23:12), "And the same day Pilate and Herod [Herod Antipas, son of Herod the Great] were made friends together; for before they were at enmity between themselves," suggests the possibility that further communication may have occurred between the two. Someone employed his ingenuity to supply what was lacking in the New Testament.

In Pilate's letter to Herod, the governor recounts experiences of Procla, his wife, of Longinus, a centurion, and of himself following the death and resurrection of Jesus Christ.

In Herod's letter the tetrarch tells the woeful tale of his family tragedy. His daughter, Herodias, died when her head was severed from her body by the ice of a river into which she had fallen. This accident brought to Herod's memory the beheading of John the Baptist. Herod's wife lost her left eye from weeping over the misfortunes of their home. Herod himself was a victim of parasites; worms were coming out of his mouth.

"The Letters of Pilate and Herod" probably date to the fourth century A.D.

135

ΕΠΙΣΤΟΛΗ ΠΙΛΑΤΟΥ ΠΡΟΣ ΗΡΩΙΔΗΝ

Πιλᾶτος ἡγεμὼν ᾿Ιεροσολύμων ῾Ηρῴδῃ τετράρχῃ
χαίρειν.

Οὐδὲν ἀγαθὸν ὑπό σου πεισθεὶς ἐτελείωσα ἐν
ἐκείνῃ τῇ ἡμέρᾳ ἐν ᾗ ἤγαγον ᾿Ιουδαῖοι τὸν ᾿Ιησοῦν
5 τὸν λεγόμενον Χριστόν· ὡς ἐσταυρώθη, καὶ τῇ τρίτῃ
ἡμέρᾳ ἀνέστη ἐκ τῶν νεκρῶν, ἀπήγγειλάν μοι, καὶ ὁ
ἑκατόνταρχος τὰ αὐτὰ εἶπεν. ἀλλὰ καὶ ἐγὼ αὐτὸς πέ-
πεισμαι εἰς τὴν Γαλιλαίαν ἀποστέλλειν· καὶ ἑωράκα-
σιν αὐτὸν ἔχοντα τὴν αὐτὴν σάρκα καὶ τὴν αὐτὴν ὄψιν
10 καὶ τὴν αὐτὴν φωνήν, καὶ ταῖς αὐταῖς ἐντολαῖς ἐνε-
φάνισεν ἑαυτὸν πεντακοσίοις ἀνθρώποις πιστοῖς, οἳ
καὶ μαρτυροῦντες περὶ τούτου προσῆλθον πιστεύοντες
καὶ κηρύσσοντες ὅτι οὗτος ἀνέστη ἐκ τῶν νεκρῶν καὶ

---

(1) Γαλιλαία, -ας, ἡ: Galilee
     ἑκατόνταρχος, -ου, ὁ: centurion
     ἐπιστολή, -ῆς, ἡ: letter, epistle
     ῾Ηρῴδης, -ου, ὁ: Herod
     ᾿Ιουδαῖος, -α, -ον: (adj.) Jewish; (subst.)
          Jew
     πεντακόσιοι, -αι, -α: five hundred
     Πιλᾶτος, -ου, ὁ: Pilate
     τετράρχης, -ου, ὁ: tetrarch

(2) ῾Ηρῴδης (1)
     Πιλᾶτος (1)

ἔχει αἰώνιον βασιλείαν. Πρόκλα δὲ ἡ ἐμὴ γυνή, πι-
στεύσασα ἐπὶ τοῖς ὀράμασιν οἷς αὐτῇ ἐφανερώθη, ἐμοῦ
μέλλοντος αὐτὸν παραδοῦναι πεισθέντος διὰ τῆς σῆς
ἐπιστολῆς εἰς τὸ σταυρωθῆναι, καταλιποῦσά με, μετὰ
5   δέκα στρατιωτῶν καὶ Λογγίνου τοῦ πιστοῦ ἑκατοντάρ-
χου ἐπορεύθη θεάσασθαι τὴν ὄψιν αὐτοῦ. καὶ ἰδόντες
αὐτὸν καθεζόμενον ἐν χώρᾳ ἀγρίᾳ καὶ πολὺν ὄχλον τῶν
πεντακοσίων πιστῶν περὶ αὐτὸν καθεζόμενον, καὶ ἀ-
κούσαντες αὐτοῦ διδάσκοντος τὰ θαυμάσια τοῦ πατρός,
10   ἐθαύμαζον πάντες εἰ οὗτος, παθὼν καὶ σταυρωθείς,
ἠγέρθη ἐκ τῶν νεκρῶν. θεωμένων πάντων, ἐλάλησεν
αὐτοῖς· Οὔπω πιστεύετέ μοι, Πρόκλα καὶ Λογγῖνε;
οὐχὶ σὺ ὁ τηρῶν μου τὸ πάθος καὶ τὸ μνημεῖον; καὶ
σὺ δέ, γυνή, ἔπεμψας ἐπιστολὴν πρὸς τὸν ἄνδρα σου

---

(1) Λογγῖνος, -ου, ὁ: Longinos (-NT)
     πάθος, -ους, τό: suffering, passion
     Πρόκλα, ἡ: Prokla (-NT)

(2) ἑκατόνταρχος, -ου, ὁ: centurion
     ἐπιστολή, -ῆς, ἡ: letter, epistle
     Λογγῖνος (1)
     πεντακόσιοι, -αι, -α: five hundred
     Πρόκλα (1)

(3) ἐπιστολή (2)

περὶ ἐμοῦ; . . . ⌊οὐκ ἀνέγνωτε⌋ τὴν τοῦ θεοῦ δια-
θήκην ἣν ἐποίησεν ὁ πατήρ; πᾶσαν οὖν σάρκα ἀπολω-
λυῖαν διὰ τοῦ ἐμοῦ θανάτου ὃν οἴδατε ἐγερῶ ἐγὼ ὁ
ὑψωθεὶς καὶ πολλὰ παθών· καὶ νῦν οὖν ἀκούετε ὅτι
5   οὐκ ἀπολεῖται πᾶσα σάρξ πιστεύουσα εἰς τὸν πατέρα
θεὸν καὶ εἰς ἐμὲ τὸν μέλλοντα καθέζεσθαι ἐν τῇ δε-
ξιᾷ τοῦ πατρός· ἐγὼ γὰρ ἔλυσα τὰς ὀδύνας τοῦ θανά-
του· καὶ ἐν τῇ δευτέρᾳ παρουσίᾳ μου ἕκαστος ἐγερ-
θεὶς εὐλογήσει τὸν πατέρα μου τοῦ ἐπὶ Ποντίου Πι-
10 λάτου σταυρωθέντος. ταῦτα λέγοντος αὐτοῦ ἀκούσασα
ἡ γυνή μου Πρόκλα καὶ ὁ ἐκατόνταρχος Λογγῖνος ὁ πι-
στευθεὶς τηρῆσαι τὸ πάθος τοῦ Ἰησοῦ, καὶ οἱ στρα-
τιῶται οἱ πορευθέντες μετ' αὐτῆς, κλαίοντες καὶ λυ-

138:1 ⌊οὐκ ἀνέγνωτε⌋ (I have supplied these words
to complete the construction.)

---

(1) ὀδύνη, -ης, ἡ: pain, grief, distress
     Πόντιος, -ου, ὁ: Pontius

(2) πάθος, -ους, τό: suffering, passion

(3) δεύτερος, -α, -ον: second
     ἐκατόνταρχος, -ου, ὁ: centurion
     Λογγῖνος, -ου, ὁ: Longinos (-NT)
     Πιλᾶτος, -ου, ὁ: Pilate
     Πρόκλα, ἡ: Prokla (-NT)

πούμενοι, ἐλθόντες ἀπὸ τῆς Γαλιλαίας ἀπήγγειλάν μοι

ταῦτα. ἐγὼ δὲ ἀκούσας ἀπήγγειλα τοῖς μεγάλοις μου

ὑπηρέταις· οἱ δὲ λυπούμενοι καὶ κλαίοντες καθ' ἡ-

μέραν μνημονεύοντες τοῦ κακοῦ οὗ ἔπραξαν εἰς αὐτόν,

5 ὡς καὶ αὐτὸς ἐγὼ ἐν τῇ ὀδύνῃ τῆς γυναικός μου λυ-

ποῦμαι ⌊καὶ ἐγὼ μετὰ πεντήκοντα στρατιωτῶν καὶ τῆς

γυναικός μου ἦλθον εἰς τὴν Γαλιλαίαν θεάσασθαι τὸν

σταυρωθέντα καὶ ἐγερθέντα καὶ τοὺς πεντακοσίους πι-

στοὺς περὶ αὐτὸν καθεζομένους. ἐλθόντες δ' ἐπέσο-

10 μεν, ἐγὼ καὶ Πρόκλα, χαμαὶ κράζοντες· Ἐλέησον ἡ-

μᾶς.⌋ καὶ ἐλθὼν ὁ κύριος ἤγειρέν με καὶ τὴν γυναῖ-

139:6 After examining the Syriac version, M. R.
James estimated that two leaves had been lost at
this point, presumably from some ancestor of the
MS whose text was available to him. I have read
Professor W. Wright's translation of the Syriac
version (pp. 71-73, Texts and Studies Vol. V. No. 1.)
and have inserted the bracketed passage to restore
the continuity of the story.

---

(1) πράσσω, πράξω, ἔπραξα, πέπραχα, πέπραγμαι,
    ἐπράχθην: do, accomplish, commit, act

(2) Γαλιλαία, -ας, ἡ: Galilee
    ὀδύνη, -ης, ἡ: pain, grief, distress

(3) Γαλιλαία (2)
    πεντακόσιοι, -αι, -α: five hundred

κά μου ἀπὸ τῆς γῆς. καὶ θεασάμενος αὐτὸν εἶδον τὰς χεῖρας αὐτοῦ ἔτι ἐχούσας τοὺς τῶν ἥλων τύπους· καὶ ἐπέθηκεν ἐπὶ τὴν κεφαλήν μου τὰς χεῖρας αὐτοῦ λέγων· Μακάριόν σε καλέσουσι πᾶσαι αἱ γενεαί, ὅτι ἐπὶ τοῦ

5   καιροῦ σου ὁ υἱὸς τοῦ ἀνθρώπου ἀπέθανεν καὶ ἀνέστη καὶ εἰς τοὺς οὐρανοὺς <u>ἀναβήσεται</u> καὶ καθεσθήσεται ἐν ὑψίστοις· καὶ γνώσονται πάντες, Ἰου<u>δα</u>ῖοί τε καὶ ἔθνη, ὅτι ἐγώ εἰμι ὁ μέλλων κρῖναι ζῶντας καὶ νεκροὺς ἐν τῇ ἐσχάτῃ ἡμέρᾳ.

---

(1)   ἀναβαίνω, ἀναβήσομαι, ἀνέβην, ἀναβέβηκα, ---,
       ---: go up, ascend

(2)   Ἰουδαῖος, -α, -ον: (adj.) Jewish; (subst.)
       Jew

ΕΠΙΣΤΟΛΗ ΗΡΩΙΔΟΥ ΠΡΟΣ ΠΙΛΑΤΟΝ

'Ηρῴδης τετράρχης Γαλιλαίας Ποντίῳ Πιλάτῳ τῷ
ἡγεμόνι τῶν 'Ιουδαίων χαίρειν.

Οὐκ ἐν μικρῷ πένθει ὢν ἐγώ σοι γράφω ἵνα καὶ
σὺ ἀκούσας ἐν μεγάλῃ ὀδύνῃ γένῃ. ἡ γὰρ θυγατήρ μου

5 'Ηρῳδιάς περιπατοῦσα ἐγγὺς τοῦ ὕδατος ἀπώλετο, πε-
πληρωμένου τοῦ ποταμοῦ. ἕως γὰρ τοῦ τραχήλου αὐ-
τῆς ἀνέβη ὁ ποταμός, καὶ ἥψατο ἡ μητὴρ αὐτῆς τῆς
κεφαλῆς αὐτῆς, ἵνα μὴ λημφθῇ 'Ηρῳδιὰς ὑπὸ τοῦ ποτα-
μοῦ, ὅτι ἕως τοῦ τραχήλου ἀνέβη. ἀλλὰ ἀπετμήθη ἡ

---

(1) ἀποτέμνω, ἀποτεμῶ, ἀπέτεμον, ---, ---, ἀπετμή-
        θην: cut off, separate (-NT)
   'Ηρῳδιάς, -άδος, ἡ: Herodias
   πένθος, -ους, τό: grief, sorrow, mourning
   ποταμός, -οῦ, ὁ: river, stream
   τράχηλος, -ου, ὁ: throat, neck

(2) ἀναβαίνω, ἀναβήσομαι, ἀνέβην, ἀναβέβηκα, ---,
        ---: go up, ascend
   'Ηρῳδιάς (1)
   Πόντιος, -ου, ὁ: Pontius
   ποταμός (1)
   τετράρχης, -ου, ὁ: tetrarch
   τράχηλος (1)

(3) ἀναβαίνω (2)
   'Ηρῴδης, -ου, ὁ: Herod
   'Ιουδαῖος, -α, -ον: (adj.) Jewish; (subst.)
        Jew
   ὀδύνη, -ης, ἡ: pain, grief, distress
   ποταμός (2)

141

κεφαλὴ τῆς θυγατρός, ὥστε μόνην ἀποτμηθεῖσαν κεφα-
λὴν ἐκράτει ἡ γυνή μου. καὶ ὅλον τὸ σῶμα Ἡρωδιά-
δος ἀπὸ τῶν ποδῶν ἕως τοῦ τραχήλου ἔλαβεν ὁ ποταμός.
ἔχοντες δὲ μόνην τὴν ἀποτμηθεῖσαν κεφαλὴν τῆς θυγα-
5 τρὸς ἡμῶν, ἐν πένθει μεγάλῳ ἐσμέν, ἐγὼ καὶ ὅλος ὁ
οἶκός μου. κἀγὼ δὲ ἐν πολλοῖς κακοῖς ἐγενόμην ἀ-
κούσας ὅτι παρέδωκας τὸν Ἰησοῦν· καὶ θέλω ἐλθεῖν
καὶ ἰδεῖν αὐτὸν μόνον καὶ προσπεσεῖν αὐτόν, καὶ ἀ-
κοῦσαί τι παρ' αὐτοῦ, ἐπειδὴ πολλὰ κακὰ ἔπραξα εἰς
10 αὐτὸν καὶ εἰς Ἰωάννην τὸν βαπτιστήν· καὶ ἀπολαμ-
βάνω τὰ ἄξια δικαίως· καθὼς γὰρ πολλὰ τέκνα ἐν
τῇ γῇ ὁ πατήρ μου ἀπέκτεινε διὰ τὸν Ἰησοῦν, ὡς κἀ-

---

(1) ἄξιος, -α, -ον: worthy, proper, deserving
     ἀπολαμβάνω, ἀπολήμψομαι, ἀπέλαβον, ---, ---,
        ---: receive, recover, get back, take
        aside
     βαπτιστής, -οῦ, ὁ: baptizer
     Ἰωάννης, -ου, ὁ: John

(2) ἀποτέμνω, ἀποτεμῶ, ἀπέτεμον, ---, ---, ἀπετμή-
        θην: cut off, separate (-NT)
     πένθος, -ους, τό: grief, sorrow, mourning
     πράσσω, πράξω, ἔπραξα, πέπραχα, πέπραγμαι,
        ἐπράχθην: do, accomplish, commit, act

(3) ἀποτέμνω (2)
     Ἡρωδιάς, -άδος, ἡ: Herodias
     τράχηλος, -ου, ὁ: throat, neck

γὼ τὴν κεφαλὴν τοῦ βαπτιστοῦ Ἰωάννου ἀπέτεμον.

δίκαια τὰ κρίματα τοῦ θεοῦ· ὅτι ἕκαστος κρίματα

ἄξια ὧν ἔπραξεν καὶ ἀπολήμψεται. ἐπεὶ οὖν πάλιν

δύνασαι, Πόντιε Πιλᾶτε, τὸν ἄνδρα θεάσασθαι Ἰησοῦν,

5 νῦν εἰπὲ αὐτῷ περὶ τοῦ πένθους τοῦ τετράρχου διὰ τὸ

πάθος τοῦ Ἰησοῦ καὶ διὰ τὸν θάνατον Ἰωάννου τοῦ

βαπτιστοῦ· ὑμῖν γὰρ ἐδόθη ἡ βασιλεία τοῖς ἔθνεσιν

κατὰ τοὺς προφήτας καὶ τὸν Χριστόν. ὁ δὲ υἱός μου

πολλὰς ἡμέρας ἀσθενεῖ· κἀγὼ δὲ ἔχω τοιαύτην νόσον

10 ὥστε διὰ τοῦ στόματός μου σκώληκες ἐξέρχονται. ἀλ-

---

(1) κρίμα, -ατος, τό: decision, decree, judgment
     σκώληξ, -ηκος, ὁ: worm
     στόμα, -ατος, τό: mouth

(2) ἄξιος, -α, -ον: worthy, proper, deserving
     ἀπολαμβάνω, ἀπολήμψομαι, ἀπέλαβον, ---, ---,
          ---: receive, recover, get back, take
          aside
     βαπτιστής, -οῦ, ὁ: baptizer
     Ἰωάννης, -ου, ὁ: John
     κρίμα (1)

(3) βαπτιστής (2)
     Ἰωάννης (2)
     πάθος, -ους, τό: suffering, passion
     πένθος, -ους, τό: grief, sorrow, mourning
     Πόντιος, -ου, ὁ: Pontius
     πράσσω, πράξω, ἔπραξα, πέπραχα, πέπραγμαι,
          ἐπράχθην: do, accomplish, commit, act
     τετράρχης, -ου, ὁ: tetrarch

λὰ καὶ ἡ γυνή μου τὸν ἀριστερὸν ὀφθαλμὸν διὰ τὸ ἐπὶ

τοῦ οἴκου μου πένθος ἀπώλετο.   δίκαια καὶ ἄξια τὰ

κρίματα τοῦ θεοῦ, ὅτι τῷ ἐν δικαίοις ὀφθαλμοῖς ἡμᾶς

θεωμένῳ ἀντέστημεν.   νῦν δὲ οἱ σκώληκες τῷ θεῷ πεί-

5   θονται, ἐγὼ γὰρ διὰ τοῦ στόματός μου αὐτὸν οὐκ ἐδό-

ξασα.   ὁ θάνατος ἤδη λήμψεται τοὺς Ἰουδαίους, ὅτι

χεῖρας οὐ δικαίως ἔβαλον ἐπὶ τὸν δίκαιον Ἰησοῦν.

ταῦτα ἐν τῷ τῶν αἰώνων τέλει πεπλήρωται, ὥστε τὰ ἔθ-

νη ἀπέλαβον τὴν τοῦ θεοῦ βασιλείαν, οἱ δὲ υἱοὶ τοῦ

10   φωτὸς ἐξεβλήθησαν, διότι οὐκ ἐτηρήσαμεν τὰ πρὸς κύ-

ριον, οὔτε τὰ πρὸς τὸν υἱὸν αὐτοῦ.   διὰ τοῦτο νυκτὸς

καὶ ἡμέρας μνημόνευε τοῦ Ἰησοῦ μετὰ τῆς γυναικός

σου· καὶ ὑμῶν ἔσται ἡ βασιλεία· ἡμεῖς γὰρ ἀντέστη-

144:10 διότι . . . αὐτοῦ: because they have not
given heed to the matters which concern the Lord,
nor to those which concern His Son.

---

(2) σκώληξ, -ηκος, ὁ: worm
     στόμα, -ατος, τό: mouth

(3) ἄξιος, -α, -ον: worthy, proper, deserving
     ἀπολαμβάνω, ἀπολήμψομαι, ἀπέλαβον, ---, ---,
          ---: receive, recover, get back, take
          aside
     κρίμα, -ατος, τό: decision, decree, judgment

μεν τῷ δικαίῳ. παρακαλῶ σε, ὦ Πιλᾶτος, πάντας τοῦ
οἴκου μου θέτε εἰς τὸ μνημεῖον ἡμῶν. δικαιότερον
γάρ ἐστιν ὑπό σου τεθῆναι ἡμᾶς εἰς τὸ μνημεῖον ἢ
ὑπὸ τῶν ᾽Ιουδαίων, οἷς μετ᾽ ὀλίγον κατὰ τοὺς λόγους
5 ᾽Ιησοῦ ἡ κρίσις ἐλεύσεται. ἔπεμψά σοί τινα χρυσία
μου καὶ τῆς γυναικός μου. μνημονεύων ποτὲ ἀποδώσεις
μοι ἐν τῇ ἐσχάτῃ ἡμέρᾳ. ἤδη γὰρ ἐκ τοῦ στόματός μου
σκώληκες ἀναβαίνουσιν καὶ ὧδε κρίμα ἀπολαμβάνω· ἀλ-
λὰ καὶ τὸ ἐκεῖ κρίμα φοβοῦμαι πάνυ· ἐκείνη γὰρ ἡ
10 κρίσις καὶ ἀνταπόδοσις τῶν πεπραγμένων ἐστὶν αἰώνιος.

---

(3) σκώληξ, -ηκος, ὁ: worm
     στόμα, -ατος, τό: mouth

GREEK-ENGLISH VOCABULARY

(The principal parts of the verbs in this vo-
cabulary reflect the systems represented in Arndt
and Gingrich, A GREEK-ENGLISH LEXICON OF THE NEW
TESTAMENT AND OTHER EARLY CHRISTIAN LITERATURE.)

A

'Αβραάμ (indecl.) ὁ: Abraham
ἀγαθός, -ή, -όν: good, fit, useful
ἀγαλλιάω, ---, ἠγαλλίασα, ---, ---, ἠγαλλιάθην:
    exult, rejoice exceedingly
ἀγαπάω, ἀγαπήσω, ἠγάπησα, ἠγάπηκα, ἠγάπημαι, ἠγαπή-
    θην: love
ἀγάπη, -ης, ἡ: love
ἀγαπητός, -ή, -όν: beloved
ἄγγελος, -ου, ὁ: angel, messenger
ἀγιάζω, ---, ἡγίασα, ---, ἡγίασμαι, ἡγιάσθην:
    dedicate, set apart for God, sanctify, purify
ἅγιος, -α, -ον: holy, pure, pious, Saint
ἀγνός, -ή, -όν: pure, clean
ἀγοράζω, ---, ἠγόρασα, ---, ---, ἠγοράσθην: buy,
    purchase
ἄγριος, -α, -ον: wild
ἀγριότης, -ητος, ἡ: wildness, fierceness
ἄγω, ἄξω, ἤγαγον, ---, ---, ἤχθην: lead, bring, go
'Αδάμ (indecl.) ὁ: Adam
ἀδελφή, -ῆς, ἡ: sister
ἀδελφός, -οῦ, ὁ: brother
ᾄδης, -ου, ὁ: Hades, underworld
ἀδικέω, ἀδικήσω, ἠδίκησα, ἠδίκηκα, ---, ἠδικήθην:
    do wrong, injure, harm
ἀήρ, ἀέρος, ὁ: air
ἀθάνατος, -ον: immortal
Αἰγεάτης, -ου, ὁ: Aegeates (-NT)
αἷμα, -ατος, τό: blood, blood-relationship, kin
αἴρω, ἀρῶ, ἦρα, ἦρκα, ἦρμαι, ἤρθην: take up, lift
    up, raise, carry, take away, remove, conquer
αἰτέω, αἰτήσω, ᾔτησα, ᾔτηκα, ---, ---: ask

αἰώνιος, -α, -ον: eternal, everlasting (Distinct
feminine endings are rarely found. The
masculine forms are used instead.)
αἰών, αἰῶνος, ὁ: eternity, universe, present age
ἀκαίρως: prematurely
ἀκολουθέω, ἀκολουθήσω, ἠκολούθησα, ἠκολούθηκα, ---,
---: go with, follow, obey
ἀκούω, ἀκούσω, ἤκουσα, ἀκήκοα, ---, ἠκούσθην: hear,
listen to (followed by acc. or gen. direct
object); (pass. 3rd sing.) be reported, come
to (someone's) ears
ἀκτίς, ἀκτῖνος, ἡ: ray, beam
ἀλαζονεία, -ας, ἡ: boastfulness, vain display
ἀλήθεια, -ας, ἡ: truth, truthfulness
ἀληθής, -ές: true (to fact; actual as opposed to
apparent), truthful
ἀληθινός, -ή, -όν: true, genuine (as opposed to
spurious)
ἀληθῶς: truly, surely, certainly
ἀλλ': ἀλλά
ἀλλά: but (stronger than δέ)
ἀλλήλων: of one another, of each other
ἄλλος, -η, -o: other, another; οἱ ἄλλοι: the
rest, the others
ἁμαρτάνω, ἁμαρτήσω, ἡμάρτησα and ἤμαρτον, ἡμάρτηκα,
---, ---: sin
ἁμαρτία, -ας, ἡ: sin
ἁμαρτωλός, -όν: (adj.) sinful; (subst.) sinner
ἀμήν: truly, amen, so be it
ἄμμος, -ου, ἡ: sand
ἀμφότεροι, -αι, -α: both
ἄν: (not translated by an individual English word
but forming part of a signal system for
certain constructions)
ἀναβαίνω, ἀναβήσομαι, ἀνέβην, ἀναβέβηκα, ---, ---:
go up, ascend
ἀναγγέλλω, ἀναγγελῶ, ἀνήγγειλα, ---, ---, ἀνηγγέλην:
report, announce, declare
ἀναγινώσκω, ἀναγνώσομαι, ἀνέγνων, ---, ---, ἀνεγνώ-
σθην: read, read aloud
ἀναγκάζω, ---, ἠνάγκασα, ---, ---, ἠναγκάσθην:
compel, force
ἀνάγω, ---, ἀνήγαγον, ---, ---, ἀνήχθην: lead up,
bring up, put out to sea

ἀνακλίνω, ἀνακλινῶ, ἀνέκλινα, ---, ---, ἀνεκλίθην:
  lay down, make lie down, (pass.) lie down,
  recline
ἀναλαμβάνω, ---, ἀνέλαβον, ἀνείληφα, ---, ἀνελήμ-
  φθην: take up, take up to carry, take along,
  adopt
ἀναπαύω, ἀναπαύσω, ἀνέπαυσα, ---, ἀναπέπαυμαι, ἀνε-
  παύθην and ἀνεπάην: (act.) give rest, refresh;
  (mid.) rest, take rest
ἀναπίπτω, ---, ἀνέπεσον and ἀνέπεσα, ---, ---, ---:
  lie down, recline, lean back
ἀνάστασις, -εως, ἡ: resurrection
ἀναχωρέω, ---, ἀνεχώρησα, ἀνακεχώρηκα, ---, ---:
  return, withdraw, retire
᾽Ανδρέας, -ου, ὁ: Andrew
ἀνέλεος, -ον: merciless
ἀνέρχομαι, ---, ἀνῆλθον, ---, ---, ---: go up
ἀνήρ, ἀνδρός, ὁ: man, husband
ἀνθίστημι, ---, ἀντέστην, ἀνθέστηκα, ---, ἀντεστάθην:
  set against, oppose, resist, withstand
ἄνθρωπος, -ου, ὁ: man, human being
ἀνθύπατος, -ου, ὁ: proconsul
ἀνίστημι, ἀναστήσω, ἀνέστησα and ἀνέστην, ---, ---,
  ---: stand up, rise; raise, raise up
ἀνοίγω, ἀνοίξω, ἀνέῳξα and ἠνέῳξα and ἤνοιξα, ἀνέ-
  ῳγα, ἀνέῳγμαι and ἠνέῳγμαι, ἀνεῴχθην and ἠνε-
  ῴχθην and ἠνοίχθην: open
ἀνομία, -ας, ἡ: lawlessness, transgression, iniquity
ἀνταπόδοσις, -εως, ἡ: repayment, reward, recompense
᾽Αντιφάνης, -ου, ὁ: Antiphanes (-NT)
ἀντλέω, ---, ἤντλησα, ---, ---, ἠντλήθην: draw
  (water)
ἄνω: above, upwards, up
ἄξιος, -α, -ον: worthy, proper, deserving
ἀπαγγέλλω, ἀπαγγελῶ, ἀπήγγειλα, ---, ---, ἀπηγγέλην:
  announce, report
ἅπαξ: once, one time, once for all
ἀπέρχομαι, ἀπελεύσομαι, ἀπῆλθον, ἀπελήλυθα, ---,
  ---: go away, depart from
ἁπλῶς: sincerely, simply, in a word
ἀπό: (with abl.) from, away from
ἀπογράφω, ---, ἀπεγραψάμην, ---, ἀπογέγραμμαι, ---:
  register, enroll

ἀποδίδωμι, ἀποδώσω, ἀπέδωκα, ---, ---, ἀπεδόθην:
    give away, give up, give back, reward,
    recompense
ἀποδύομαι, ---, ἀπεδυσάμην, ---, ---, ---: strip,
    strip off, undress
ἀποθνῄσκω, ἀποθανοῦμαι, ἀπέθανον, ---, ---, ---:
    die
ἀποκάλυψις, -εως, ἡ: revelation
ἀποκόπτω, ἀποκόψω, ἀπέκοψα, ---, ---,ἀπεκόπην:
    cut off
ἀποκρίνομαι, ---, ἀπεκρινάμην, ---, ---, ἀπεκρίθην:
    answer
ἀποκτείνω, ἀποκτενῶ, ἀπέκτεινα, ---, ---, ἀπεκτάν-
    θην: kill
ἀπολαμβάνω, ἀπολήμψομαι, ἀπέλαβον, ---, ---, ---:
    receive, recover, get back, take aside
ἀπόλλυμι, ἀπολέσω and ἀπολῶ, ἀπώλεσα and ἀπωλόμην,
    ἀπολώλεκα and ἀπόλωλα, ---, ---: destroy,
    lose; (mid.) perish, die, be lost
ἀπολύω, ἀπολύσω, ἀπέλυσα, ---, ἀπολέλυμαι, ἀπελύθην:
    release, set free, let go
ἀποστέλλω, ἀποστελῶ, ἀπέστειλα, ἀπέσταλκα, ἀπέσταλ-
    μαι, ἀπεστάλην: send away, send forth
ἀπόστολος, -ου, ὁ: apostle
ἀποτέμνω, ἀποτεμῶ, ἀπέτεμον, ---, ---, ἀπετμήθην:
    cut off, separate (-NT)
ἀποτίθημι, ---, ἀπέθηκα, ---, ---, ἀπετέθην: put
    off, lay off, lay aside, put away
ἀπότομος, -ον: harsh, rough
ἅπτω, ---, ἧψα, ---, ---, ---: fasten to, set on
    fire; (mid.) fasten myself to, cling to, lay
    hold of, assail
ἀπώλεια, -ας, ἡ: destruction, waste, ruin
ἀργύριον, -ου, τό: silver, money
ἀρεστός, -ή, -όν: pleasing, agreeable, acceptable,
    approved
ἀριστερός, -ά, -όν: left, on the left
ἀρκέω, ---, ἤρκεσα, ---, ---, ἠρκέσθην: be enough;
    (pass.) be satisfied, be contented
ἅρμα, -ατος, τό: chariot, war chariot
ἄροτρον, -ου, τό: plow

149

ἁρπάζω, ἁρπάσω, ἥρπασα, ---, ---, ἡρπάσθην and ἡρ-
πάγην: snatch away, seize, carry off, tear
out
Ἀρσενῆ, -ῆς, ἡ: Arsene (-NT)
ἀρχάγγελος, -ου, ὁ: archangel
ἀρχή, -ῆς, ἡ: beginning, rule, sovereignty
ἀρχιστράτηγος, -ου, ὁ: supreme commander (-NT)
ἄρχων, -οντος, ὁ: ruler, lord, prince
ἀσθενέω, ---, ἠσθένησα, ---, ---, ---: be weak,
sick
ἀσθενής, -ές: weak, sick
ἀσπάζομαι, ---, ἠσπασάμην, ---, ---, ---: greet,
welcome, take leave of
ἀστήρ, ἀστέρος, ὁ: star
ἀστράπτω, ---, ---, ---, ---, ---: flash, shine
ἀσώματος, -ον: not possessing a physical body (-NT)
αὐτός, -ή, -ό: self, same, that, (=ἐκεῖνος), he,
she, it
ἀφ' : ἀπό (before a word beginning with an aspirat-
ed first syllable)
ἄφεσις, -εως, ἡ: release, pardon, forgiveness
ἀφθονία, -ας, ἡ: freedom from envy, abundance,
plenty
ἀφίημι, ἀφήσω, ἀφῆκα, ---, ἀφεῖμαι, ἀφέθην: send
away, let go, forgive, allow, remit; ἄφες and
ἄφετε are used with the subj. as, for example,
ἄφετε πορευθῶ = Let me go.
Ἀχαΐα, -ας, ἡ: Achaia

B

βάλλω, βαλῶ, ἔβαλον, βέβληκα, βέβλημαι, ἐβλήθην:
throw, cast, put
βαπτίζω, βαπτίσω, ἐβάπτισα, ---, βεβάπτισμαι,
ἐβαπτίσθην: baptize
βαπτιστής, -ου, ὁ: Baptist, baptizer
βαρύς, -εῖα, -ύ: heavy, burdensome
βάσανος, -ου, ἡ: torture, torment, acute pain
βασιλεία, -ας, ἡ: kingdom, royal power, dominion
βασίλειος, -ον: royal; (subst. in neut.) royal palace
βασιλεύς, -έως, ὁ: king

150

βιβλίον, -ου, τό: book, scroll, document
βίος, -ου, ὁ: life, period of life, means of living
βλασφημέω, ---, ἐβλασφήμησα, ---, ---, ἐβλασφημή-
    θην: revile, rail at, blaspheme, slander,
    speak evil of
βλέμμα, -ατος, τό: glance, look
βλέπω, βλέψω, ἔβλεψα, ---, ---, ---: see, look at
βοάω, βοήσω, ἐβόησα, ---, ---, ---: shout, cry out
βοηθέω, ---, ἐβοήθησα, ---, ---, ---: help, come
    to help
βουλή, -ῆς, ἡ: purpose, counsel, decree, council
βούλομαι, ---, ---, ---, ---, ἐβουλήθην: wish,
    desire
βυρσεύς, -έως, ὁ: tanner

                    Γ

Γαλιλαία, -ας, ἡ: Galilee
γάμος, -ου, ὁ: wedding banquet, marriage
γάρ: for, indeed, yea, then, why
γενεά, -ᾶς, ἡ: generation
γεννάω, γεννήσω, ἐγέννησα, γεγέννηκα, γεγέννημαι,
    ἐγεννήθην: beget, become a father of, bear
γέρων, -οντος, ὁ: old man
γεωργός, -οῦ, ὁ: farmer
γῆ, γῆς, ἡ: earth, land, country, ground
γίνομαι, γενήσομαι, ἐγενόμην, γέγονα, γεγένημαι,
    ἐγενήθην: come into being, be born, be made,
    be ordained, become, come to pass, happen
γινώσκω, γνώσομαι, ἔγνων, ἔγνωκα, ἔγνωσμαι, ἐγνώ-
    σθην: come to know, perceive, understand
γλῶσσα, -ης, ἡ: tongue, language
γνήσιος, -α, -ον: legitimate, genuine
γνωρίζω, γνωρίσω, ἐγνώρισα, ---, ---, ἐγνωρίσθην:
    make known, know
γνῶσις, -εως, ἡ: knowledge
γοητεία, -ας, ἡ: witchcraft, sorcery (-NT)
γράμμα, -ατος, τό: letter (of the alphabet),
    epistle, document; (pl.) learning, letters,
    epistles, documents
γράφω, ---, ἔγραψα, γέγραφα, γέγραμμαι, ἐγράφην:
    write

                    151

γυνή, γυναικός, ἡ: woman, wife

Δ

δαιμόνιον, -ου, τό: divinity, demon, evil spirit
δάκρυον, -ου, τό: tear, (pl.) weeping
δακρύω, ---, ἐδάκρυσα, ---, ---, ---: weep
δάκτυλος, -ου, ὁ: finger
δέ: but, and, now (not in temporal sense)
δέησις, -εως, ἡ: entreaty, prayer
δείκνυμι and δεικνύω, δείξω, ἔδειξα, δέδειχα, ---,
    ἐδείχθην: show, exhibit
δεῖπνον, -ου, τό: dinner, supper
δέκα: ten
δεκατέσσαρες, -α: fourteen
δένδρον, -ου, τό: tree
δεξιός, -ά, -όν: (adj.) right (not left); (subst.
    in fem.) right hand
δέομαι, ---, ---, ---, ---, ἐδεήθην: ask, beg,
    pray, be in need
δέρμα, -ατος, τό: skin
δεσπότης, -ου, ὁ: lord, master
δεῦρο: Come!, until now
δεῦτε: Come!
δεύτερος, -α, -ον: second
δέχομαι, ---, ἐδεξάμην, ---, δέδεγμαι, ἐδέχθην:
    receive, accept, welcome
δέω, ---, ἔδησα, δέδεκα, δέδεμαι, ἐδέθην: bind,
    tie
δι᾽ : διά
διά: (with gen.) through, by; (with acc.) because
    of, on account of
διάβολος, -ου, ὁ: devil, accuser
διαθήκη, -ης, ἡ: will, testament
διάκονος, -ου, ὁ: servant, deacon
διασπείρω, ---, διέσπειρα, ---, ---, διεσπάρην:
    disperse, scatter abroad, distribute
διδάσκαλος, -ου, ὁ: teacher
διδάσκω, διδάξω, ἐδίδαξα, ---, ---, ἐδιδάχθην:
    teach
δίδωμι, δώσω, ἔδωκα, δέδωκα, δέδομαι, ἐδόθην:
    give, grant, permit, put

δίκαιος, -α, -ον: righteous, just; δικαίως:
    righteously, justly
δικαιοσύνη, -ης, ἡ: righteousness, practice of
    righteousness, upright actions
διότι: because, therefore, for, that
δοκιμάζω, δοκιμάσω, ἐδοκίμασα, ---, δεδοκίμασμαι,
    ---: test, prove, approve
δόξα, -ης, ἡ: splendor, magnificence, glory,
    opinion
δοξάζω, δοξάσω, ἐδόξασα, ---, δεδόξασμαι, ἐδοξά-
    σθην: praise, honor, glorify
δουλεύω, δουλεύσω, ἐδούλευσα, δεδούλευκα, ---, ---:
    serve as a slave, be a slave to
δούλη, -ῆς, ἡ: female slave, bondmaid
δοῦλος, -ου, ὁ: slave, bondslave
δουλόω, δουλώσω, ἐδούλωσα, ---, δεδούλωμαι, ἐδουλώ-
    θην: make a slave of, enslave
δρέπανον, -ου, τό: sickle, reaping hook, pruning
    hook
δρῦς, δρυός, ἡ: oak (-NT)
δύναμαι, δυνήσομαι, ---, ---, ---, ἠδυνήθην: be
    able, have power
δύναμις, -εως, ἡ: power, (pl.) miracles
δύο: two
δώδεκα: twelve
δωρεά, -ᾶς, ἡ: gift

                E

ἐάν: if
ἑαυτοῦ, -ῆς, -οῦ: of himself, herself, itself
ἐάω, ἐάσω, εἴασα, ---, ---, εἰάθην: let, permit,
    let go, leave alone
ἐγγίζω, ἐγγίσω and ἐγγιῶ, ἤγγισα, ἤγγικα, ---, ---:
    approach, come near
ἐγγύς: near
ἐγείρω, ἐγερῶ, ἤγειρα, ---, ἐγήγερμαι, ἠγέρθην:
    awake, raise; (pass.) wake up
ἐγκαταλείπω, ἐγκαταλείψω, ἐγκατέλιπον, ---, ---,
    ἐγκατελείφθην: abandon, forsake, desert,
    leave behind

                153

ἐγώ, ἐμοῦ: I, of me
ἔθνος, -ους, τό: nation, people; (pl.) nations,
    Gentiles
ἔθος, -ους, τό: habit, usage, custom
εἰ: if, (In some contexts it is the sign of a
    question and is not translated as a single word.)
εἴδωλον, -ου, τό: idol, image of a false god,
    false god
εἰδώς, -υῖα, -ός (2nd perfect participle of οἶδα)
εἰμί, ἔσομαι, ---, ---, ---, ---: be
εἰς: (with acc.) into, in towards, for, among
εἷς, μία, ἕν: one
εἰσάγω, ---, εἰσήγαγον, ---, ---, ---: bring into,
    lead into
εἰσακούω, εἰσακούσομαι, εἰσήκουσα, ---, ---, εἰση-
    κούσθην: listen to, hear, obey
εἰσέρχομαι, εἰσελεύσομαι, εἰσῆλθον, εἰσελήλυθα,
    ---, ---: enter, come into, go into
ἐκ (ἐξ): (with abl.) from, out of, from within
ἕκαστος, -η, -ον: each, every
ἐκατόνταρχος, -ου, ὁ: centurion
ἐκβάλλω, ἐκβαλῶ, ἐξέβαλον, ἐκβέβληκα, ---, ἐξεβλή-
    θην: drive out, send out, throw out, remove
ἐκδημέω, ---, ἐξεδήμησα, ---, ---, ---: depart
ἐκεῖ: there
ἐκεῖνος, -η, -ο: that, he, she, it
ἐκεῖσε: to that place, in that place
ἐκκλησία, -ας, ἡ: assembly, congregation, church
ἐκλέγομαι, ---, ἐξελεξάμην, ---, ἐκλέλεγμαι, ἐξε-
    λέχθην: choose, select
ἐκλείπω, ἐκλείψω, ἐξέλιπον, ---, ---, ---: fail,
    die
ἐκλεκτός, -ή, -όν: chosen, select, choice,
    excellent
ἐκτείνω, ἐκτενῶ, ἐξέτεινα, ---, ---, ---: stretch
    out
ἐκφέρω, ἐξοίσω, ἐξήνεγκα, ---, ---, ---: carry
    out, lead out, produce
ἐκφεύγω, ἐκφεύξομαι, ἐξέφυγον, ἐκπέφευγα, ---, ---:
    flee away, escape
ἐλεέω, ἐλεήσω, ἠλέησα, ---, ἠλέημαι, ἠλεήθην: pity,
    have mercy on

ἐλεύθερος, -α, -ον: free
ἐλευθερόω, ἐλευθερώσω, ἠλευθέρωσα, ---, ---, ἠλευ-
     θερώθην: set free
ἐλπίζω, ἐλπιῶ, ἤλπισα, ἤλπικα, ---, ---: hope
ἐμός, -ή, -όν: my
ἐμοῦ (2nd inflectional form of ἐγώ): of me
ἔμπροσθεν: (with gen.) in front of, before
ἐμφανίζω, ἐμφανίσω, ἐνεφάνισα, ---, ---, ἐνεφανίσθην:
     manifest, exhibit, reveal, make known
ἐν: (with loc.) in, within, among, by means of, during
ἔνδοξος, -ον: honored, glorious, splendid
ἕνεκα: (with gen.) on account of, because of, for
     the sake of
ἐντέλλομαι, ἐντελοῦμαι, ἐνετειλάμην, ---, ἐντέταλ-
     μαι, ---: order, command
ἐντολή, -ῆς, ἡ: order, command
ἐνώπιον: (with gen.) before, in the presence of,
     in the sight of
ἐξ: ἐκ
ἕξ: six
ἐξέρχομαι, ἐξελεύσομαι, ἐξῆλθον, ἐξελήλυθα, ---,
     ---: come out, go out
ἑξήκοντα: sixty
ἐξουσία, -ας, ἡ: ability, power, authority,
     government
ἐπαγγελία, -ας, ἡ: promise
ἐπαγγέλλομαι, ---, ἐπηγγειλάμην, ---, ἐπήγγελμαι,
     ---: promise
ἐπακούω, ἐπακούσομαι, ἐπήκουσα, ---, ---, ---:
     hear, listen to, obey
ἐπάνω: above, upon, over, more than
ἐπεί: after, when, since, because
ἐπειδή: (temporal) when now, after that; (causal)
     since, because
ἐπί: (with gen.) at, on, over, upon, before, in the
     time of; (with loc.) on, at, in, upon, concern-
     ing; (with acc.) on, over, to, against
ἐπιγινώσκω, ἐπιγνώσομαι, ἐπέγνων, ἐπέγνωκα, ---,
     ἐπεγνώσθην: observe, perceive, recognize,
     know
ἐπιθυμία, -ας, ἡ: longing, desire
ἐπιστολή, -ῆς, ἡ: letter, epistle

ἐπιστρέφω, ἐπιστρέψω, ἐπέστρεψα, ---, ---, ἐπεστρά-
    φην: turn, turn around, turn back, return
ἐπιτίθημι, ἐπιθήσω, ἐπέθηκα, ---, ---, ---: put
    upon, inflict, attack
ἐπουράνιος, -ον: heavenly
ἑπτά (indecl.): seven
ἔργον, -ου, τό: work, task, deed, action
ἔρχομαι, ἐλεύσομαι, ἦλθον, ἐλήλυθα, ---, ---:
    come, go
ἐρωτάω, ἐρωτήσω, ἠρώτησα, ---, ---, ---: ask a
    question, make a request
ἐσθίω, φάγομαι, ἔφαγον, ---, ---, ---: eat
ἔσχατος, -η, -ον: last
ἕτερος, -α, -ον: other, another
ἔτι: yet, still
ἑτοιμάζω, ἑτοιμάσω, ἡτοίμασα, ἡτοίμακα, ἡτοίμα-
    σμαι, ἡτοιμάσθην: make ready, prepare
ἕτοιμος, -η, -ον: prepared, ready
ἔτος, -ους, τό: year
εὐαγγέλιον, -ου, τό: good news, gospel
εὐθέως: immediately
εὐθύς, -εῖα, -ύ: (adj.) straight, right, upright;
    (adv.) immediately, at once
εὐλογέω, εὐλογήσω, εὐλόγησα, εὐλόγηκα, εὐλόγημαι,
    εὐλογήθην: praise, bless, cause to prosper
εὑρίσκω, εὑρήσω, εὗρον, εὕρηκα, ---, εὑρέθην:
    find, discover
εὐχαριστέω, ---, εὐχαρίστησα, ---, ---, εὐχαριστή-
    θην: be thankful, give thanks, pray
εὐχή, -ῆς, ἡ: prayer, vow, wish
ἐφ': ἐπί (before a word with an aspirated first
    syllable)
ἐχθρός, -οῦ, ὁ: enemy
ἔχω, ἕξω, ἔσχον, ἔσχηκα, ---, ---: have, hold
ἕως: (prep. with gen.) until, as far as; (conj.)
    until
ἕως οὗ: until

                    Z

ζάω (ζῆω)(ζῶ), ζήσω, ἔζησα, ---, ---, ---: live,
    be alive

ζητέω, ζητήσω, ἐζήτησα, ---, ---, ἐζητήθην: seek,
    look for, strive after, desire
ζυγός, -οῦ, ὁ: yoke, balance, pair of scales
ζωή, -ῆς, ἡ: life

Η

ἤ: or, than
ἡγεμών, -όνος, ὁ: leader, governor, chief
ἥκω, ἥξω, ἧξα, ---, ---, ---: have come, be
    present
ἥλιος, -ου, ὁ: sun
ἧλος, -ου, ὁ: nail
ἡμεῖς, ἡμῶν: we, of us
ἡμέρα, -ας, ἡ: day
ἡμέτερος, -α, -ον: our
Ἡρώδης, -ου, ὁ: Herod
Ἡρωδιάς, -άδος, ἡ: Herodias
ἡσυχία, -ας, ἡ: quietness, rest, silence
ἡσυχίαν παρασχεῖν: to quiet down

Θ

θάλασσα, -ης, ἡ: sea
θανατηφόρος, -ον: death-bringing, fatal, deadly,
    mortal
θάνατος, -ου, ὁ: death
θαῦμα, -ατος, τό: wonder
θαυμάζω, θαυμάσομαι, ἐθαύμασα, ---, ---, ἐθαυμά-
    σθην: wonder, wonder at, admire
θαυμάσιος, -α, -ον: wonderful, admirable,
    remarkable
θεάομαι, ---, ἐθεασάμην, ---, τεθέαμαι, ἐθεάθην:
    behold, look upon, contemplate, view
θέλημα, -ατος, τό: will, choice, the action
    purposed, the act of willing
θέλω, θελήσω, ἠθέλησα, ---, ---, ---: will, be
    willing, wish, desire
θεός, -οῦ, ὁ: God, god, deity
θεραπεύω, θεραπεύσω, ἐθεράπευσα, ---, τεθεράπευμαι,
    ἐθεραπεύθην: treat, cure, heal

θεωρέω, θεωρήσω, ἐθεώρησα, ---, ---, ---: look at, behold, gaze at, see
θηρίον, -ου, τό: wild beast
θλῖψις, -εως, ἡ: affliction, distress
θρίξ, τριχός, ἡ: hair
θρόνος, -ου, ὁ: throne, dominion
θυγατήρ, θυγατρός, ἡ: daughter
θύρα, -ας, ἡ: door
θύω, ---, ἔθυσα, ---, τέθυμαι, ἐτύθην: sacrifice, kill, slay, offer
Θωμᾶς, -ᾶ, ὁ: Thomas

I

Ἰακώβ (indecl.) ὁ: Jacob
ἰατρός, -οῦ, ὁ: physician
ἴδιος, -α, -ον: one's (my, our, your, his, her, its, their) own, belonging to one's self
ἰδού: behold, see, look
ἱερεύς, -έως, ὁ: priest
ἱερός, -ά, -όν: holy; (subst. in neut.) temple
Ἰεροσόλυμα, -ων, τά: Jerusalem
Ἰησοῦς, -οῦ, -οῦ, -οῦν, -οῦ, ὁ: Joshua, Jesus
ἱμάτιον, -ου, τό: garment, cloak, (pl.) clothing
ἵνα: that, in order that
Ἰνδία, -ας, ἡ: India (-NT)
Ἰουδαῖος, -α, -ον: (adj.) Jewish; (subst.) Jew
Ἰσαάκ (indecl.) ὁ: Isaac
ἴσον: equally, in the same way
ἴσος, -η, -ον: equal, same, consistent
Ἰσραήλ (indecl.) ὁ: Israel
ἵστημι, στήσω, ἔστησα and ἔστην, ἔστηκα, ---, ἐστάθην: stand, cause to stand; stand by
ἰσχυρός, -ά, -όν: powerful, mighty, strong
ἰσχύω, ἰσχύσω, ἴσχυσα, ---, ---, ---: be able, strong, powerful, prevail
Ἰωάννης, -ου, ὁ: John

K

κἀγώ: καὶ ἐγώ

158

καθ': κατά

καθαρίζω, καθαριῶ, ἐκαθάρισα, ---, κεκαθάρισμαι,
    ἐκαθαρίσθην: make clean, cleanse, purify

καθέζομαι, ---, ---, ---, ---, ἐκαθέσθην: sit,
    sit down

καθεύδω, ---, ---, ---, ---, ---: sleep

κάθημαι, καθήσομαι, ---, ---, ---, ---: sit,
    be seated, sit down

καθίζω, καθίσω, ἐκάθισα, κεκάθικα, ---, ---: make
    to sit down, seat, appoint; sit down

καθώς: as, just as

καί: and, and so, and yet, and indeed; also, even,
    still

καινός, -ή, -όν: new, fresh, unused

καιρός, -οῦ, ὁ: time, right time

Καῖσαρ, Καίσαρος, ὁ: Caesar

κακός, -ή, -όν: wicked, bad, evil, worthless,
    ugly

καλέω, καλέσω, ἐκάλεσα, κέκληκα, κέκλημαι, ἐκλήθην:
    call, invite

καλλίων, κάλλιον (comp. of καλός): more beautiful

κάλλος, -ους, τό: beauty

καλός, -ή, -όν: beautiful, good, excellent, fair,
    noble

καλῶς: well, nobly, in an excellent way

κἄν (= καὶ ἐάν): even if, at least

κἄν ... κἄν: whether ... or; (or) even if ...
    at least

καρδία, -ας, ἡ: heart

κατ': κατά

κατά: (with gen.) down upon, towards, at, against,
    (in an oath or an adjuration) by; (with abl.)
    down from; (with acc.) down along, through,
    by, according to

καταβαίνω, καταβήσομαι, κατέβην, καταβέβηκα, ---,
    ---: go down, come down, descend

κατακρίνω, κατακρινῶ, κατέκρινα, ---, κατακέκριμαι,
    κατεκρίθην: condemn

καταλείπω, καταλείψω, κατέλειψα and κατέλιπον, ---,
    καταλέλειμμαι, κατελείφθην: leave behind,
    give up to, abandon; (pass.) remain

καταπίνω, ---, κατέπιον, ---, ---, κατεπόθην:
    drink down, swallow up, devour

κατάρατος, -ον: cursed, accursed, abominable (-NT)
κατέρχομαι, κατελεύσομαι, κατῆλθον, ---, ---, ---:
    come down
κατεσθίω, καταφάγομαι, κατέφαγον, ---, ---, ---:
    eat up, consume, devour, destroy
κατέχω, ---, κατέσχον, ---, ---, ---: hold back,
    hinder, restrain, hold fast, retain, possess
κεῖμαι, ---, ---, ---, ---, ---: lie, be located
κελεύω, ---, ἐκέλευσα, ---, ---, ἐκελεύσθην:
    command, order, urge
Κεντηρά, -ᾶς, ἡ: Kentera (-NT)
κεφαλή, -ῆς, ἡ: head
κηρύσσω, κηρύξω, ἐκήρυξα, ---, ---, ἐκηρύχθην:
    announce, proclaim, preach
κινέω, κινήσω, ἐκίνησα, ---, ---, ἐκινήθην:
    move, remove, set in motion, get going
κλαίω, κλαύσω and κλαύσομαι, ἔκλαυσα, ---, ---,
    ---: weep, cry, bewail
κλείω, κλείσω, ἔκλεισα, ---, κέκλεισμαι, ἐκλείσθην:
    shut
κλῆρος, -ου, ὁ: lot, portion
κλίνη, -ης, ἡ: bed, couch
κόλασις, -εως, ἡ: correction, punishment, penalty
Κονδηφόρος, -ου, ὁ: Kondephoros (-NT)
κόπος, -ου, ὁ: trouble, work, toil
κόσμος, -ου, ὁ: universe, world, earth
κράζω, κράξω and κεκράξομαι, ἔκραξα and ἐκέκραξα,
    κέκραγα, ---, ---: cry out, scream, call
    out, screech
κρατέω, κρατήσω, ἐκράτησα, κεκράτηκα, κεκράτημαι,
    ---: seize, take hold of, hold fast
κράτος, -ους, τό: power, might, strength, rule
κρείσσων, κρεῖσσον: better
κρίμα, -ατος, τό: decision, decree, judgment
κρίνω, κρινῶ, ἔκρινα, κέκρικα, κέκριμαι. ἐκρίθην:
    judge, determine, decide, condemn, go to law
κρίσις, -εως, ἡ: decision, judgment, right,
    justice
κριτής, -οῦ, ὁ: judge
κρυπτός, -ή, -όν: hidden, secret, private;
    κρυπτῶς: secretly
κρύπτω, ---, ἔκρυψα, ---, κέκρυμμαι, ἐκρύβην:
    hide, conceal, cover

κτίζω, ---, ἔκτισα, ---, ἔκτισμαι, ἐκτίσθην:
    create, make
κτίσις, -εως, ἡ: creation, act of creation,
    thing created, creature, world
κυρία, -ας, ἡ: lady, mistress
κύριος, -ου, ὁ: Lord, lord, master

Λ

λαγχάνω, ---, ἔλαχον, ---, ---, ---: obtain, be
    assigned, cast lots, fall to one's lot
λαλέω, λαλήσω, ἐλάλησα, λελάληκα, λελάλημαι,
    ἐλαλήθην: speak, say, utter
λαμβάνω, λήμψομαι, ἔλαβον, εἴληφα, εἴλημμαι, ---:
    take, receive, seize
λαός, -οῦ, ὁ: people
λατρεύω, λατρεύσω, ἐλάτρευσα, ---, ---, ---: serve,
    worship
λέγω, ἐρῶ, εἶπον, εἴρηκα, εἴρημαι, ἐρρέθην: say,
    speak, declare, tell, bid, order, enjoin
Λέσβιος, -ου, ὁ: Lesbios (-NT)
Λεύκιος, -ου, ὁ: Leukios (-NT)
λίθος, -ου, ὁ: stone
λίτρα, -ας, ἡ: pound (12 ounces)
Λογγῖνος, -ου, ὁ: Longinos (-NT)
λόγος, -ου, ὁ: word, statement, speech, teaching
λοιπός, -ή, -όν: (adj.) remaining, other;
    λοιπόν: (adv.) in the future, finally,
    further
λυπέω, ---, ἐλύπησα, λελύπηκα, ---, ἐλυπήθην:
    grieve, cause grief, distress
λύπη, -ης, ἡ: grief, sorrow, pain
λυτρόομαι, λυτρώσομαι, ἐλυτρωσάμην, ---, ---, ---:
    release by payment of a ransom, redeem, let go
    free, liberate
λύω, ---, ἔλυσα, ---, λέλυμαι, ἐλύθην: loose,
    destroy
Λώτ (indecl.) ὁ: Lot

M

μά: (in an oath or asseveration) by (-NT)

161

μάγος, -ου, ὁ: magician
μαθητής, -οῦ, ὁ: disciple, student, pupil
μακάριος, -α, -ον: happy, blessed
μακράν: far, far from
μακρόθεν: from afar, afar off
μακρός, -ά, -όν: long, far distant
μᾶλλον: more, rather, to a greater degree
Μαμβρῆ (indecl.) ἡ: Mamre (-NT)
μανθάνω, ---, ἔμαθον, μεμάθηκα, ---, ---: learn
μαρτυρέω, μαρτυρήσω, ἐμαρτύρησα, μεμαρτύρηκα, με-
    μαρτύρημαι, ἐμαρτυρήθην: be a witness, bear
    witness, testify
μάρτυς, μάρτυρος, ὁ: witness, martyr
Ματθαῖος, -ου, ὁ: Matthew
μάχομαι (pres. system only): fight
μεγάλως: greatly
μέγας, μεγάλη, μέγα: great, large, tall, big, old
μεθ': μετά (before a word beginning with aspiration)
μείζων, μεῖζον (comp. of μέγας): greater, older
μέλλω, μελλήσω, ---, ---, ---, ---: be about to,
    intend to (imperfect = ἤμελλον)
μέν: on the one hand, truly, (often best left
    untranslated)
μένω, μενῶ, ἔμεινα, μεμένηκα, ---, ---, ---: stay,
    live, lodge, remain, wait for
μέσος, -η, -ον: middle, in the middle of
    μέσον: (adv.) in the middle of
μετ': μετά
μετά: (with gen.) with; (with acc.) after
μεταβαίνω, μεταβήσομαι, μετέβην, μεταβέβηκα, ---,
    ---: pass over (from one place to another),
    depart
μετάνοια, -ας, ἡ: change of mind, repentance
μέτρον, -ου, τό: measure
μή: not (used with imperative and subjunctive)
μηδέ: and not, but not
μηδείς, μηδεμία, μηδέν: no one, nothing
μήποτε: never, lest ever, lest perhaps; (with
    dir. quest.) It isn't really true that ...
    is it? What if ... not?
μήτε: and not, also not, not even
μήτε ... μήτε: neither ... nor
μήτηρ, μητρός, ἡ: mother

μικρός, -ά, -όν: small, little
μιμνήσκομαι, ---, ---, ---, μέμνημαι, ἐμνήσθην:
    remember
μισθός, -οῦ, ὁ: pay, wages, reward, punishment
Μιχαήλ (indecl.) ὁ: Michael
μνημεῖον, -ου, τό: monument, memorial, tomb
μνήμη, -ης, ἡ: remembrance, memory, mention,
    notice, advance notice
μνημονεύω, ---, ἐμνημόνευσα, ---, ---, ---:
    remember, call to mind
μνηστεύω, ---, ἐμνηστευσάμην, ---, ἐμνήστευμαι,
    ἐμνηστεύθην: (act.) court, woo, seek in
    marriage, espouse; (mid.) cause (someone) to
    be engaged to (someone else); (pass.) be
    betrothed, be courted
μόδιος, -ου, ὁ: peck, half bushel
μονή, -ῆς, ἡ: dwelling place, residence
μόνον: (adv.) only
μόνος, -η, -ον: alone, only
μορφή, -ῆς, ἡ: form, shape, external appearance,
    beauty
μόσχος, -ου, ὁ: calf, young bull
μου (2nd inflectional form of ἐγώ)
μύριοι, -αι, -α: ten thousand, myriad
μυστήριον, -ου, τό: secret, mystery

N

ναί: yes
ναός, -οῦ, ὁ: temple, sanctuary
νεανίσκος, -ου, ὁ: young man, youth, lad
νεκρός, -ά, -όν: dead, lifeless
νεφέλη, -ης, ἡ: cloud
νεώτερος, -α, -ον: younger
νίκη, -ης, ἡ: victory
νιπτήρ, -ῆρος, ὁ: basin, wash-basin
νίπτω, ---, ἔνιψα, ---, ---, ---: wash
νομίζω, ---, ἐνόμισα, ---, ---, ἐνομίσθην: think,
    believe, consider
νομικός, -ή, -όν: learned in the law; (subst.)
    lawyer

νόσος, -ου, ἡ: disease, sickness
νῦν: now
νύξ, νυκτός, ἡ: night

Ξ

ξενίζω, ---, ἐξένισα, ---, ---, ἐξενίσθην: receive
    as a guest, entertain; surprise, astonish,
    strike with a feeling of strangeness
ξένος, -η, -ον: (adj.) strange to, foreign to,
    unacquainted with; (subst.) stranger, foreigner
ξύλον, -ου, τό: wood (building material), pale,
    gibbet, cross, tree

Ο

ὁ, ἡ, τό: the
ὁ δέ, ἡ δέ, τὸ δέ: he, she, it
ὁδός, -οῦ, ἡ: way, road, journey, manner of life,
    conduct
ὀδύνη, -ης, ἡ: pain, grief, distress
ὀδύρομαι, ---, ---, ---, ---, ---: mourn, lament
ὅθεν: whence, wherefore
οἶδα, εἰδήσω: know
οἶκος, -ου, ὁ: house, family
οἰκουμένη, -ης, ἡ: inhabited earth, world
οἶνος, -ου, ὁ: wine
ὀλίγος, -η, -ον: little, small, short; (pl.) few
ὀλιγωρία, -ας, ἡ: contempt (-NT)
ὅλος, -η, -ον: whole, complete, entire
ὁμιλία, -ας, ἡ: instruction, conversation
ὅμοιος, -α, -ον: like, resembling, similar, of
    the same kind as
ὁμολογέω, ὁμολογήσω, ὡμολόγησα, ---, ---, ---:
    agree, confess, acknowledge; (with dat.)
    praise
ὄναρ (used only in nom. and acc.) τό: dream
ὀνειδίζω, ---, ὠνείδισα, ---, ---, ---: reproach,
    upbraid, revile
ὄνομα, -ατος, τό: name
ὅπου: where

ὅπως: how, in order that, that
ὅραμα, -ατος, τό: vision
ὁράω, ὄψομαι, εἶδον, ἑώρακα, ---, ὤφθην: see
ὀργίζομαι, ---, ---, ---, ---, ὠργίσθην: be
    provoked to anger, be angry
ὅς, ἥ, ὅ: who, which, that, what
ὅσιος, -α, -ον: devout, pious, holy
ὅσος, -η, -ον: as great as, as far as, as much as,
    how great, how far, how much
ὅσπερ, ἥπερ, ὅπερ: the very one who, exactly
    that which
ὅστις, ἥτις, ὅ τι: whoever, whatever, who, what
ὅταν: when, whenever
ὅτε: when, while
ὅτι: because, that (Before a direct quotation
    it is not translated.)
οὐ, οὐκ, οὐχ: not
οὐαί: woe! alas!
οὐδέ: and not, also not, not even
οὐδείς, οὐδεμία, οὐδέν: nobody, nothing, none
οὐκ: οὐ
οὐκέτι: no longer, no more
οὖν: consequently, therefore, then
οὔπω: not yet
οὐρανός, -οῦ, ὁ: heaven
οὖς, ὠτός, τό: ear
οὔτε: and not
οὗτος, αὕτη, τοῦτο: this
οὕτω: οὕτως
οὕτως: thus, so
οὐχ: οὐ
ὀφθαλμός, -οῦ, ὁ: eye
ὄχλος, -ου, ὁ: crowd, multitude, throng
ὄψις, -εως, ἡ: outward appearance, face

Π

πάθος, -ους, τό: suffering, passion
παιδίσκη, -ης, ἡ: maid servant
παῖς, παιδός, ὁ: child, boy, youth, servant
πάλιν: again

165

παντοκράτωρ, -ορος, ὁ: ruler of all, the almighty
πάνυ: altogether, very
παρά: (with abl.) from, by; (with loc.) near,
    beside; (with acc.) along, to
παράδεισος, -ου, ὁ: paradise
παραδίδωμι, παραδώσω, παρέδωκα, παραδέδωκα, παρα-
    δέδομαι, παρεδόθην: hand over, hand down,
    surrender
παρακαλέω, ---, παρεκάλεσα, ---, παρακέκλημαι,
    παρεκλήθην: summon, invite, call upon for
    aid, request, entreat, encourage, comfort,
    exhort
παραλαμβάνω, παραλήμψομαι, παρέλαβον, ---, ---,
    παρελήμφθην: take to oneself, take with,
    receive
παρουσία, -ας, ἡ: presence, coming, arrival
παρρησία, -ας, ἡ: freedom (of speech), confidence,
    boldness, openness
πᾶς, πᾶσα, πᾶν: all, every
πάσχω, πείσομαι, ἔπαθον, πέπονθα, ---, ---:
    experience, suffer
πατάσσω, πατάξω, ἐπάταξα, ---, ---, ---: strike,
    smite, kill
πατήρ, πατρός, ὁ: father
Πάτραι, -ῶν, αἱ: Patrae (-NT)
πείθω, πείσω, ἔπεισα, πέποιθα, πέπεισμαι, ἐπείσθην:
    persuade; (mid.) believe, obey
πέμπω, πέμψω, ἔπεμψα, πέπομφα, ---, ἐπέμφθην:
    send
πένης, -ητος: poor; (subst.) poor man
πένθος, -ους, τό: grief, sorrow, mourning
πεντακόσιοι, -αι, -α: five hundred
περί: (with gen. in figurative sense) around,
    about, concerning; (with acc. in local sense)
    around, about
περιβάλλω, περιβαλῶ, περιέβαλον, ---, περιβέβλη-
    μαι, ---: throw around, put on, clothe
περίκειμαι, ---, ---, ---, ---, ---: lie around,
    be put around, be clad in, be compassed with
περιπατέω, περιπατήσω, περιεπάτησα, περιπεπάτηκα,
    ---, ---: walk, live, conduct one's life
Πέτρος, -ου, ὁ: Peter

166

πικρία, -ας, ἡ: bitterness
πικρός, -ά, -όν: bitter, harsh
πικρῶς: bitterly
Πιλᾶτος, -ου, ὁ: Pilate
πίνω, πίομαι, ἔπιον, πέπωκα, ---, ---: drink
πίπτω, πεσοῦμαι, ἔπεσον and ἔπεσα, πέπτωκα, ---,
    ---: fall
πιστεύω, πιστεύσω, ἐπίστευσα, πεπίστευκα, πεπί-
    στευμαι, ἐπιστεύθην: believe
πίστις, -εως, ἡ: faith
πιστός, -ή, -όν: trusty, faithful, reliable
πλανάω, πλανήσω, ἐπλάνησα, ---, πεπλάνημαι, ἐπλα-
    νήθην: lead astray, deceive
πλάνη, -ης, ἡ: going astray, error
πλάνος, -ον: leading astray, deceiving; (subst.)
    deceiver, impostor
πλατεῖα, -ας, ἡ: street
πλατύς, -εῖα, -ύ: broad, wide
πλευρά, -ᾶς, ἡ: side (part of the body)
πληγή, -ῆς, ἡ: plague, calamity, blow
πλῆθος, -ους, τό: multitude, populace, crowd
πληθύνω, πληθυνῶ, ---, ---, ---, ἐπληθύνθην:
    (act.) increase, multiply; (pass.) increase
πλήν: (conj.) but, nevertheless; (prep.) except
πληρόω, πληρώσω, ἐπλήρωσα, πεπλήρωκα, πεπλήρωμαι,
    ἐπληρώθην: make full, fill, complete
πλοῖον, -ου, τό: ship, boat
πλούσιος, -α, -ον: rich, wealthy
πλοῦτος, -ου, ὁ: wealth, riches
πνεῦμα, -ατος, τό: spirit, wind
πόθεν: whence? from what place?
ποιέω, ποιήσω, ἐποίησα, πεποίηκα, πεποίημαι, ἐποι-
    ήθην: make, do
πόλεμος, -ου, ὁ: war, battle
πόλις, -εως, ἡ: city, state
πολύς, πολλή, πολύ: much, many, large, great
πονηρός, -ά, -όν: bad, evil, wicked
Πόντιος, -ου, ὁ: Pontius
πορεύομαι, πορεύσομαι, ---, ---, πεπόρευμαι, ἐπο-
    ρεύθην: go on one's way, proceed, travel
ποταμός, -οῦ, ὁ: river, stream
ποτέ (enclitic): at some time or other, formerly;
    once

ποτὲ μὲν ... ποτὲ δέ: at one time ... at another,
   now ... now, sometimes ... sometimes
ποτήριον, -ου, τό: cup
ποῦ: where?
πούς ποδός, ὁ: foot
πρᾶγμα, -ατος, τό: thing, deed, matter, affair;
   (pl.) business interests
πραγματευτής, -οῦ, ὁ: business man, merchant
   (-NT)
πρᾶξις, -εως, ἡ: action, function, deed
πρᾶσις, -εως, ἡ: bill of sale (-NT)
πράσσω, πράξω, ἔπραξα, πέπραχα, πέπραγμαι, ἐπρά-
   χθην: do, accomplish, commit, act
πρεσβύτερος, -α, -ον: elder
πρό: (with abl.) before, in front of, earlier
   than, preferable to, in lieu of
πρόβατον, -ου, τό: sheep
Πρόκλα, ἡ: Prokla (-NT)
πρός: (with loc.) near; (with acc.) to, towards,
   with
προσέρχομαι, προσελεύσομαι, προσῆλθον, προσελή-
   λυθα, ---, ---: come to, approach
προσεύχομαι, προσεύξομαι, προσηυξάμην, ---, ---,
   ---: pray
προσκαλέομαι, ---, προσεκαλεσάμην, ---, προσκέκλη-
   μαι, ---: summon, call for, invite
προσκυνέω, προσκυνήσω, προσεκύνησα, ---, ---, ---:
   worship, do obeisance to, prostrate oneself
   before
προσπίπτω, ---, προσέπεσον and προσέπεσα, ---,
   ---, ---: fall down before, fall upon, beat
   against
προστάσσω, ---, προσέταξα, ---, προστέταγμαι,
   προσετάχθην: command, order, appoint
προσφέρω, ---, προσήνεγκον and προσήνεγκα, προσε-
   νήνοχα, ---, προσηνέχθην: bring to, offer,
   present
πρόσωπον, -ου, τό: face
προφήτης, -ου, ὁ: prophet
πρωτόπλαστος, -ον: first-molded, first-created
   (-NT)
πρῶτος, -η, -ον: first, chief, principal

πύλη, -ης, ἡ: gate, door
πῦρ, πυρός, τό: fire
πυρετός, -οῦ, ὁ: fever
πύρινος, -η, -ον: fiery
πωλέω, ---, ἐπώλησα, ---, ---, ---: sell
πῶς: how?

Ρ

ῥάβδος, -ου, ἡ: staff, rod
ῥῆμα, -ατος, τό: word, statement, thing, matter
ῥίπτω and ῥιπτέω, ---, ἔρριψα, ---, ἔρριμμαι,
    ---: throw away, throw down, put away,
    (perf. pass. partic.) put down, laid down

Σ

σαπρία, -ας, ἡ: corruption
σάρξ, σαρκός, ἡ: flesh
Σάρρα, -ας, ἡ: Sarah
σεαυτοῦ, -ῆς: of yourself, of thyself
σελήνη, -ης, ἡ: moon
σημεῖον, -ου, τό: sign, miracle, portent
σήμερον: today
σῖτος, -ου, ὁ: wheat, corn, grain
σκηνή, -ῆς, ἡ: tent, booth, tabernacle
σκώληξ, -ηκος, ὁ: worm
σός, σή, σόν: thy, your (sing.)
σπέρμα, -ατος, τό: seed, offspring, posterity,
    children
σπεύδω, ---, ἔσπευσα, ---, ---, ---: hasten,
    hurry, be eager
σπλάγχνον, -ου, τό: heart, affections
σταυρός, -οῦ, ὁ: cross
σταυρόω, σταυρώσω, ἐσταύρωσα, ---, ἐσταύρωμαι,
    ἐσταυρώθην: nail to a cross, crucify
στενός, -ή, -όν: narrow
στέφανος, -ου, ὁ: wreath, crown, prize, reward
στηρίζω, στηρίξω and στηριῶ, ἐστήριξα and ἐστή-
    ρισα, ---, ἐστήριγμαι, ἐστηρίχθην: place
    firmly, establish, strengthen

στοά, -ᾶς, ἡ: colonnade, cloister, portico
στολή, -ῆς, ἡ: long-flowing robe
στόμα, -ατος, τό: mouth
στρατιώτης, -ου, ὁ: soldier
Στρατοκλῆς, -οῦ, ὁ: Stratocles (-NT)
σύ, σοῦ: you (sing.), thou, of you
συλλαμβάνω, συλλήμψομαι, συνέλαβον, συνείληφα,
    ---, συνελήμφθην: seize, arrest, help, assist
συμφωνέω, συμφωνήσω, συνεφώνησα, ---, ---, συνε-
    φωνήθην: agree with, be in harmony, make
    an agreement, agree together
σύν: (with instru.) with
συνάγω, συνάξω, συνήγαγον, ---, συνῆγμαι, συνήχθην:
    gather, bring together, call together
σφραγίς, -ίδος, ἡ: seal, signet
σώζω, σώσω, ἔσωσα, σέσωκα, σέσωσμαι, ἐσώθην:
    save, preserve, rescue, keep safe
σῶμα, -ατος, τό: body, dead body, living body,
    person
σωτήρ, -ῆρος, ὁ: savior, deliverer, preserver
σωτηρία, -ας, ἡ: salvation, deliverance

                    T

ταράσσω, ---, ἐτάραξα, ---, τετάραγμαι, ἐταράχθην:
    stir up, disturb
τάχα: perhaps
τε καί: not only ... but also, both ... and
τέκνον, -ου, τό: child
τέκτων, -ονος, ὁ: carpenter, worker in wood,
    builder
τέλειος, -α, -ον: mature, complete, perfect
τελειόω, ---, ἐτελείωσα, τετελείωκα, τετελείωμαι,
    ἐτελειώθην: finish, complete, accomplish
τελευτάω, τελευτήσω, ἐτελεύτησα, τετελεύτηκα, ---,
    ---: come to an end, die
τέλος, -ους, τό: end, termination
τετράρχης, -ου, ὁ: tetrarch
τηρέω, τηρήσω, ἐτήρησα, τετήρηκα, τετήρημαι, ἐτη-
    ρήθην: take care of, guard, observe, give
    heed to, keep

τίθημι, θήσω, ἔθηκα, τέθεικα, τέθειμαι, ἐτέθην:
    put, place
τιμάω, τιμήσω, ἐτίμησα, ---, τετίμημαι, ---: fix
    a price upon, value, honor, revere
τίμιος, -α, -ον: costly, precious, held in honor
τίς, τί: who? which? what?
τὶς, τὶ: (masc. and fem.) one, anyone, someone,
    a certain; (neut.) anything, something
τοιοῦτος, τοιαύτη, τοιοῦτο(ν): such as this
τόπος, -ου, ὁ: place, spot, locality, region
τότε: then, at that time
τράπεζα, -ης, ἡ: table, meal, food
τράχηλος, -ου, ὁ: neck, throat
τρεῖς, τρία: three
τρέχω, ---, ἔδραμον, ---, ---, ---: run
τρίκλινος, -ου, ὁ: dining-room with three
    couches (-NT)
τρίτος, -η, -ον: third
τύπος, -ου, ὁ: impression, mark, image, pattern,
    model
τυφλόω, ---, ἐτύφλωσα, τετύφλωκα, ---, ---: make
    blind, blind

                Y

ὕδωρ, ὕδατος, τό: water
υἱός, -οῦ, ὁ: son
ὑμεῖς, ὑμῶν: you (pl.), of you
ὑπαντάω, ---, ὑπήντησα, ---, ---, ---: come to
    meet, go to meet, oppose
ὑπάρχω, ---, ---, ---, ---, ---: be, exist
ὑπέρ: (with abl.) for, on behalf of, for the sake
    of, about; (with acc.) over, beyond
ὑπεράνω: above, high above
ὑπηρέτης, -ου, ὁ: assistant, servant, attendant
ὕπνος, -ου, ὁ: sleep
ὑπό: (with abl.) by; (with gen.) under; (with
    acc.) under, at
ὑποδέχομαι, ---, ὑπεδεξάμην, ---, ὑποδέδεγμαι,
    ---: receive, welcome, entertain
ὑποκάτω: under, below

ὑπολαμβάνω, ---, ὑπέλαβον, ---, ---, ---: take up,
    assume, think, suppose, reply
ὑψηλός, -ή, -όν: high, lofty
ὕψιστος, -η, -ον: highest
ὑψόω, ὑψώσω, ὕψωσα, ---, ---, ὑψώθην: lift up,
    raise up, exalt

Φ

φαίνω, φανοῦμαι, ἔφανα, ---, ---, ἐφάνην: give
    light, shine; (pass.) come to light, appear
φανερόω, φανερώσω, ἐφανέρωσα, πεφανέρωκα, πεφα-
    νέρωμαι, ἐφανερώθην: make visible, known,
    clear, manifest
φέρω, οἴσω, ἤνεγκα, ---, ---, ἠνέχθην: carry,
    bring, endure
φημί, ---, ἔφην, ---, ---, ---: say, assent
φιλοξενία, -ας, ἡ: hospitality
φιλόξενος, -ον: hospitable
φίλος, -η, -ον: beloved, loving; (subst.) friend
φοβέομαι, ---, ---, ---, ---, ἐφοβήθην: be afraid
    of, reverence
φοβερός, -ά, -όν: fearful, terrifying, causing
    fear
φόβος, -ου, ὁ: fear
φρέαρ, φρέατος, τό: well, pit
φρίσσω, ---, ἔφριξα, πέφρικα, ---, ---: shudder,
    shudder at
φυλάσσω, φυλάξω, ἐφύλαξα, πεφύλαχα, ---, ἐφυλάχθην:
    guard, keep watch, protect
φωνή, -ῆς, ἡ: voice, sound
φῶς, φωτός, τό: light
φωτεινός, -ή, -όν: shining, bright, full of light

Χ

χαίρειν (in the salutation of a letter): greetings
χαίρω, ---, ---, ---, ---, ἐχάρην: rejoice, be
    glad
χαμαί: on the ground, to the ground

χαρά, -ᾱς, ἡ: joy
χαρίζομαι, χαρίσομαι and χαριοῦμαι, ἐχαρισάμην,
   ---, κεχάρισμαι, ἐχαρίσθην: give freely,
   forgive, pardon, show oneself gracious
χάριν: (prep. with gen.) for, on account of,
   for the sake of; τούτου χάριν: for this
   reason
χάρις, χάριτος, ἡ: favor, grace, something to
   be considered in one's favor (to one's credit)
χείρ, χειρός, ἡ: hand
χιλιάς, -άδος, ἡ: a thousand
χρεία, -ας, ἡ: need, necessity
Χριστός, -οῦ, ὁ: anointed, Christ
χρόνος, -ου, ὁ: time
χρυσίον, -ου, τό: gold, golden ornaments, gold
   coin
χρυσοῦς, -ῆ, -οῦν: golden, made of gold, covered
   with gold
χώρα, -ας, ἡ: region, country, land
χωρίς: without, apart from

       Ψ

ψεύδομαι, ψεύσομαι, ἐψευσάμην, ---, ---, ---:
   lie, deceive by lies
ψυχή, -ῆς, ἡ: soul, life

       Ω

ὦ: O! (before a vocative)
ὧδε: here
ὥρα, -ας, ἡ: hour, season
ὡραιότης, -ητος, ἡ: bloom of youth, beauty (-NT)
ὡς: as, like; when, while, as long as, as soon
   as; in order that, that; about; how!; as ...
   (+ a superlative in Greek) as possible
ὥστε: so that